序文

模型を作るのに際して

AFV模型（戦車など軍用車両の模型）は、手を加えれば、手を加えるほど、より完成度が高くなります。各部サイズ（大きさや厚み）の修正、パーツの作り替え、ディテールの追加。さらに効果的な塗装＆ウェザリングなどを行なうことによってリアルに見せる（＝模型の見た目を実車に近づける）ことが可能です。ただし、模型作りでもっとも大事なことは、“楽しみながら行なう”ことであるのは言うまでもありません。

私（ホアキン・ガルシア・ガスケス）が模型を製作する上での基本的な前提は、可能な限りリアルに再現するということです。そのために、まず、製作する模型の実車写真（博物館展示車のディテール写真や部隊運用中の記録写真）や関連する書物、資料などを用意。そしてその車両について充分にリサーチし、模型をどのように作る（どこをディテールアップし、どのような塗装とウェザリングを施す）かを決定します。

実車写真や資料を見ることで、装甲板表面の質感、車体や足周りに付着した砂埃や土、泥、ゴミ、燃料、オイルなどの汚れ具合などを知ることができます。

例えば、ドラゴン1/35の『WWII [illegible]水陸両用戦車 特二式内火艇カミ』を塗装する際には、戦時中の記録写真を見ることによって、水が垂れた筋状の跡や錆汚れなどがどのように付いているかを知ることができました。さらに生きた資料とも言える（実際に観察可能な同様なもの）、船舶、ボート、水陸両用車両などの汚れ具合も参考としています。

本書について

本書は、私が長年にわたって培ってきたAFV模型のモデリングテクニックを紹介したものです。本書で解説している作り方やテクニックは、一例に過ぎないということをご理解ください。当然、これらの他にも様々なテクニックがあります。模型の作り方およびモデリングテクニックは、モデラーにより十人十色と言って良いでしょう。

現在、インターネットや模型誌などでは、様々なモデリングテクニックが紹介され、さらに模型市場ではそれを実践するための便利な工具やディテールアップ工作が容易なパーツ類などが[illegible]ています。インターネット、模型誌で紹介された、あるいは有名なモデラーが使っているなどの理由で、それらテクニック、製品を手当たり次第に使用するのは避けるべきです。模型を製作する前に自分自身に、それらが本当に必要なのか、使用効果はあるのか、「なぜ、何のために……」問い質してみましょう。何よりも自分自身の模型作りに合ったものを選ぶ（あるいは探し出す）ことが大事です。

本書は、組み立てから塗装、ウェザリングなど、模型完成までの各作業のやり方、テクニックをわかりやすくするために以下のように4段階に分けて解説しています。

第1章:組み立てとディテールアップ
第2章:基本塗装
第3章:ウェザリング
第4章:ディテールの工作と塗装

本書を参考に実践していただければ、最終的には砂漠地帯で活動する車両から東部戦線のような極寒地における車両まで、幅広いAFV模型を完成させることができようになるはずです。本書が、読者諸氏のAFV模型製作の手助けになることを願っています。

《著者》
ホアキン・ガルシア・ガスケス
Joaquín García Gázquez

CONTENTS

第１章

組み立てとディテールアップ

模型製作の第１段階は、言うまでもなくキットを組み立てること。
模型製作において組立て作業をしっかりと行なうことは、基本中の基本である。
第１章では、パーツのカットおよび整形、
取り付けといった一つ一つの基本的な工作から、
より完成度を高めるための作業＝プラパーツの加工やモールドの追加、
自作パーツやエッチングパーツの使用など、ディテールアップ方法を解説する。

1-1 組み立てに必要な工具

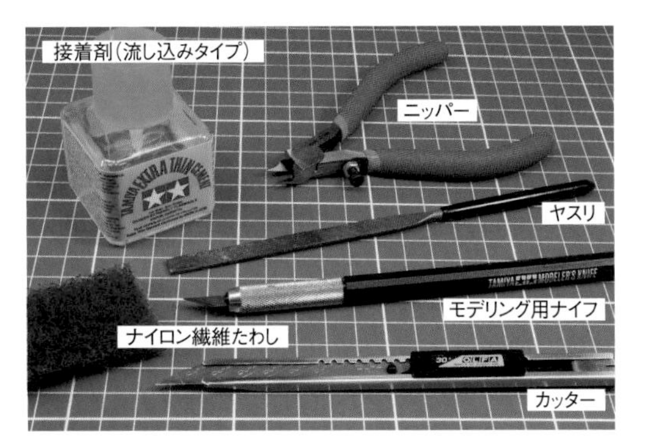

模型を組み立てるには、いくつかの工具が必要となる。まず、各パーツをランナーから切り取るためのカッターやニッパー、それら切り出したパーツの整形処理を行なうためのヤスリ、ペーパー、そして接着剤などである。

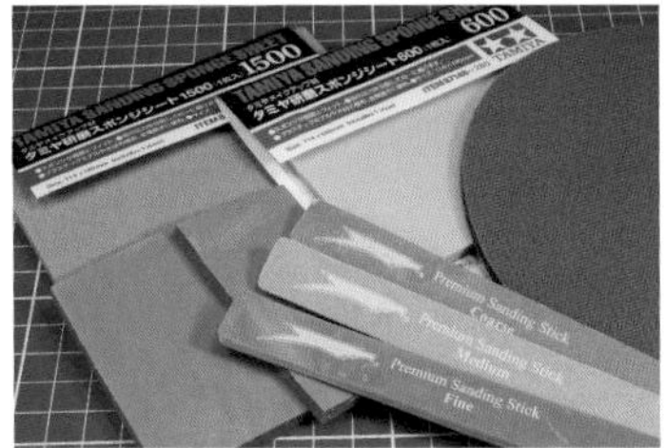

パーツの整形・処理には耐水ペーパーなどのサンドペーパーを使用するが、仕上げ用に研磨スポンジシートも用意しておこう。プラモデル製作用としてタミヤやGSIクレオスなどから各種の製品が発売されている。

《 ステック状ペーパーの作り方 》

パーツの平らな面にペーパー（紙ヤスリ）をかける際は、均等にペーパー掛けできるようにペーパーを平らな面を持つ板状のものに貼り付けて使用すると良い。

模型製作で使用するペーパーは、主に400～1200番。それらと手ごろなステック状の板（写真は木製の洗濯バサミ）と両面テープを用意。

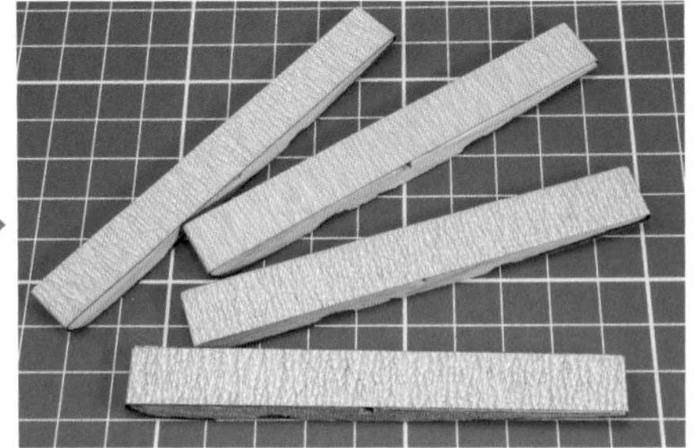

両面テープを使って、ペーパーを板（写真はバラした洗濯バサミ）に貼り付ける。

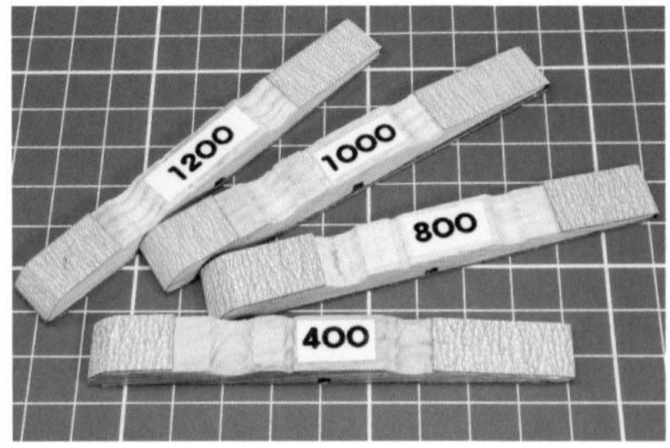

裏側に使用ペーパーの番手を書いておくと作業時にわかりやすい。

1-2 パーツの切り出しから整形処理

模型製作は、ランナーからパーツを切り出すところから始まる。そして、パーツはそのまま使用するのではなく、バリの削除、パーティングラインを消すためのペーパー掛けなど、1個1個ちゃんと整形処理することが必要。この基本中の基本ともいえる作業をちゃんと行なうことこそが模型製作の"キモ"である。

❶タミヤ1/35 バレンタインMk.II/IVの転輪を例に。まずニッパーを使ってパーツを切り取る。パーツを傷つけないようにパーツとニッパーの背に間を設け、少しバリ（矢印の部分）が残るような感じでカット。
❷バリをカッターやナイフで削り取る。
❸バリを削った跡を平ヤスリを使って、平らにする。
❹さらにカッターの刃を水平に当て、左右に動かす要領で削り、パーツに残っているパーティングラインやわずかな成型時の段差を消していく。
❺目の細かいペーパーやナイロン繊維たわしなどで表面を擦って、きれいに整形する。
❻さらに転輪のゴムリム部分の質感を出すために、ヤスリやカッターなどを使って、摩耗や劣化した部分を再現しておくと、完成度が増す。
❼削り跡に流し込み接着剤を塗り付けて、エッジを滑らかにする。
❽整形・処理が終わった転輪パーツ。

1-3 模型の組み立て

パーツの切り出し、整形が終わったら、次のステップはいよいよ組み立てだ。組み立てには接着剤、さらに接着後の整形処理のためにパテなどを用意しよう。写真は、作者使用の１部。もちろん、同じものを用意する必要はない。各々使い慣れたもの、入手しやすいものでOKだ。

プラスチックモデル専用接着剤は、塗布した部分のプラスチックを溶かすことによりパーツを接着する。タミヤやGSIクレオスなどの各メーカーから様々なタイプが発売されている。もっとも多用するのは、流し込みタイプと粘性がある通常タイプである。

シアノアクリレート系接着剤、いわゆる瞬間接着剤は、金属やレジン、ABSなど、プラスチックではない素材の接着に用いられる。その他、強制的にプラパーツを固着（特に変形したパーツの接着に使用）させたい場合やパーツ表面の凹みや接合部の隙間埋めに用いることもある。写真の製品は日本では一般的ではないので、国内で入手しやすいアロンアルファやタミヤ、GSIクレオス製品などがおすすめ。

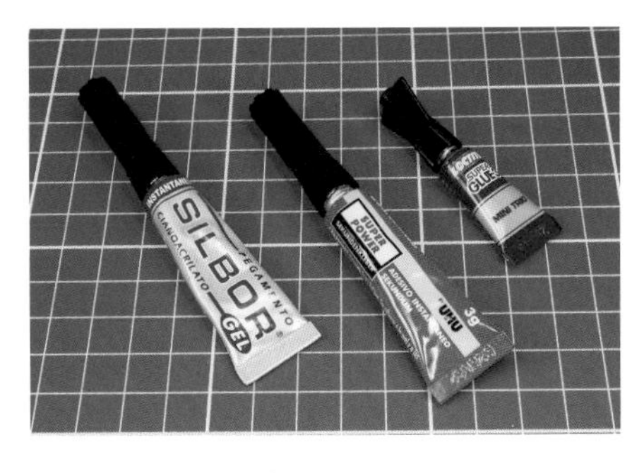

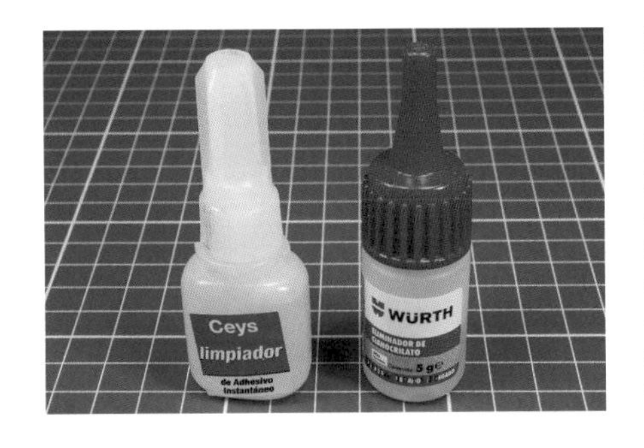

瞬間接着剤は何かと便利だが、固着時間が短いため、接着位置の変更などがやりにくく、また再度接着し直す場合は、パーツに付着した接着剤を一旦取り除かなくてはならないのが難点といえる。写真のような瞬間接着剤除去剤があると便利である。

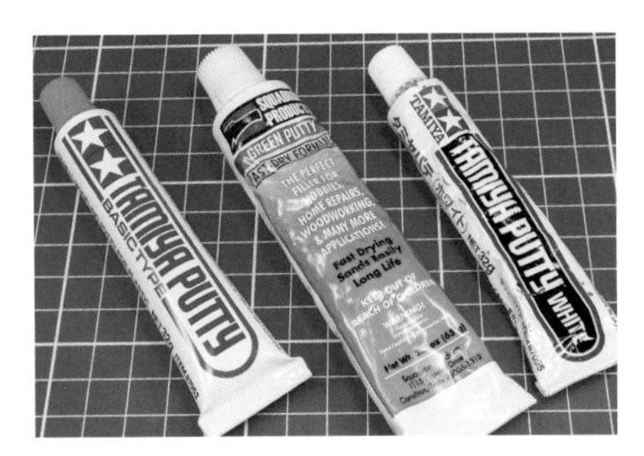

パテは、パーツのヒケを埋めたり、接着後の隙間埋めなど整形・処理に必須のもの。パテにもその用途に応じ、ラッカー系、エポキシ系、ポリエステル系などが用意されている。もっともよく使用されているのは、ラッカー系のタミヤベーシックパテ（写真左側）であろう。

《 基本的なパーツの接着方法 》

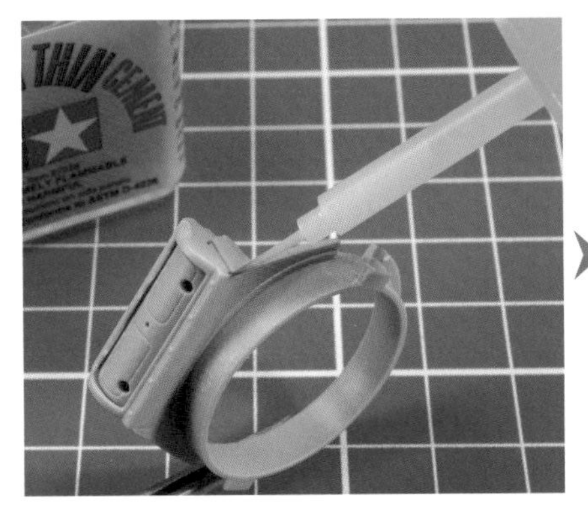

ここでは、トライスター（現ホビーボス）1/35 I号戦車A型のキットを用いて解説。まず、砲塔底面に防盾を接着（流し込みタイプを使用）。可動パーツがある場合は、その箇所に接着剤が流れ込まないように注意しよう。

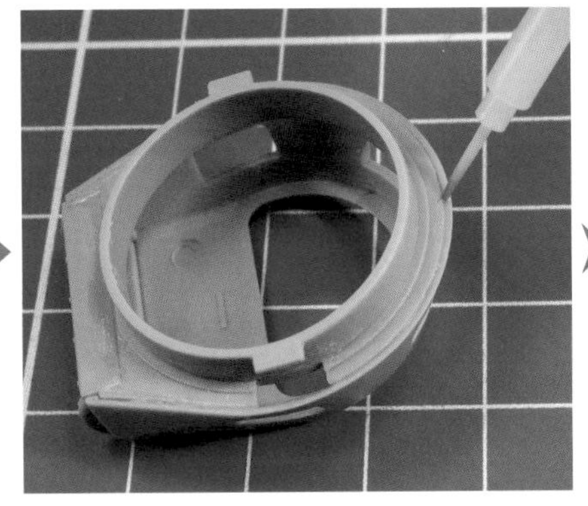

砲塔底面と上部パーツの間に接着剤を流し込んでいく。流し込みタイプの接着剤は、パーツを合わせた後にその隙間に筆先を置くだけで接着剤が浸透する。接着剤は何度かにわけ、少量ずつ付着させる。つけ過ぎには注意すること。

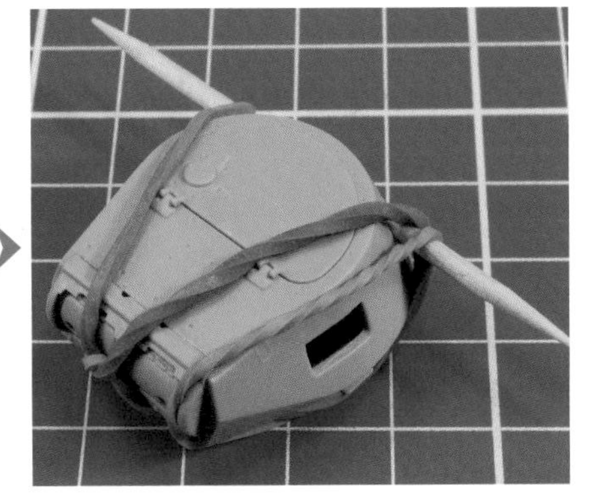

しっかりと固着させる場合、あるいは変形などによりパーツの接合部の一部が密着していない場合は、輪ゴムなどで固定し、しっかりと乾燥させる。その場合、ゴムの締め付けによるエッジやモールドの変形・破損に注意すること。

パーツの接合部にアセトン（Mr.カラーのうすめ液でもOK）で溶いたタミヤのベーシックパテを塗り、隙間の有無をチェックするとともに隙間を埋める。

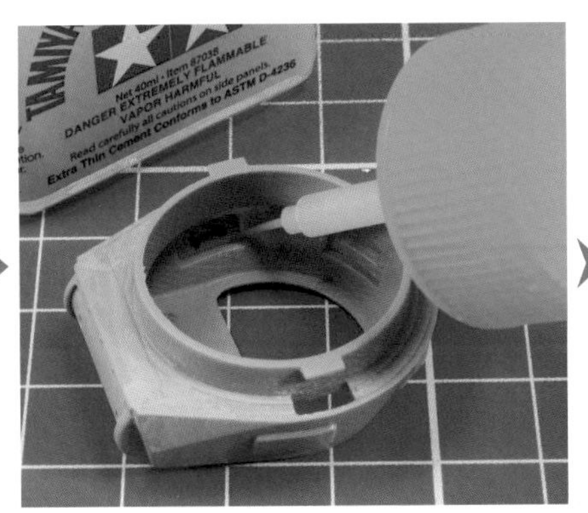

クラッペ、ハッチの接着は、内側から流し込みタイプ接着剤を使って取り付ける。クラッペやハッチなどは、内側から接着すれば、表側を接着剤跡などで汚すこともない。

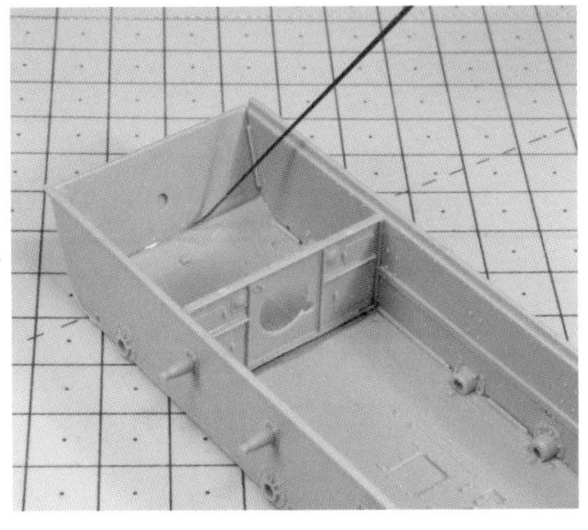

パーツの接着面積が少ない（狭い）接合部には伸ばしランナーのような細い棒の先などを使って、瞬間接着剤を塗っておけば、接着強度を高めることができる。

1-4 ディテールアップを行なう

基本的な組み立て方法をマスターしたら、次はディテールアップにチャレンジしたい。模型は手を加えれば手を加えるほど完成度が増していく。ここでは、AFV(戦車を始めとする装甲車両)模型でよく用いる方法をレクチャーする。

《 ボルト、リベットなどを作り直す 》

軍用車両、特に第二次大戦時の車両は、ボルトやナット、リベットが多い。模型では成型技術上、小さなボルトやリベットの形状が正確ではなかったり、さらには省略されている場合もある。それらを正確に再現するのもディテールアップの一つである。

市販パーツを用いる

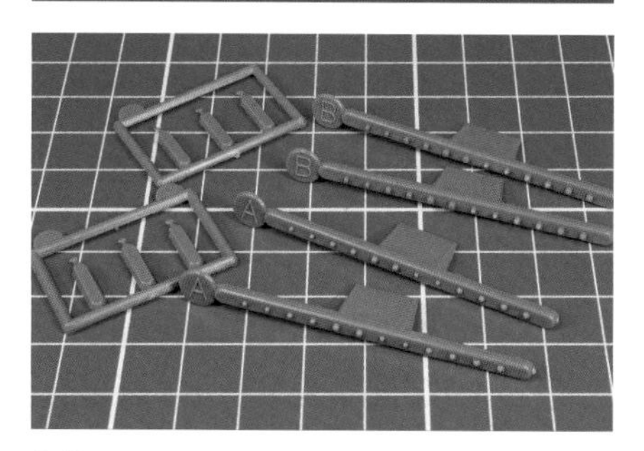

簡単にボルト、ナット、リベットを再現できるパーツが市販されている。写真は、日本の模型店で容易に入手できるモデルカスンの商品。形状が異なる2種のセットと蝶ネジなどもある。

こちらはモンモデルのリベットとボルトのセット。サイズや形状が異なる様々なセットが用意されている。プラ板1枚あたりのモールド数も多く、スクラッチビルドなどで大量にボルトなどが必要は場合は特におすすめ。

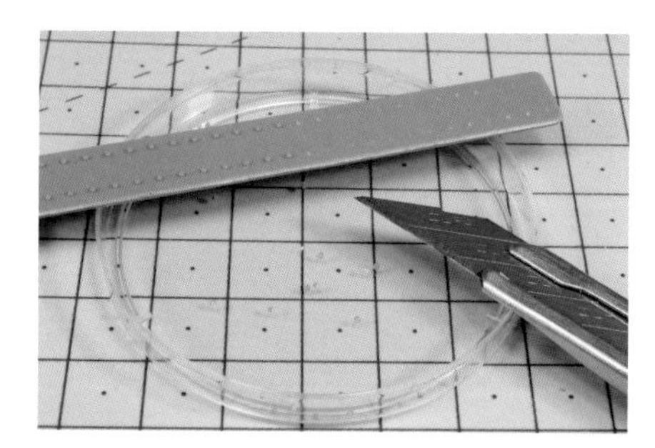

これらの市販セットの使い方は、至って簡単で、ランナーやプラ板から削り取るだけ。カッターやナイフは、刃の厚みが薄く、よく切れるものを使用しよう。

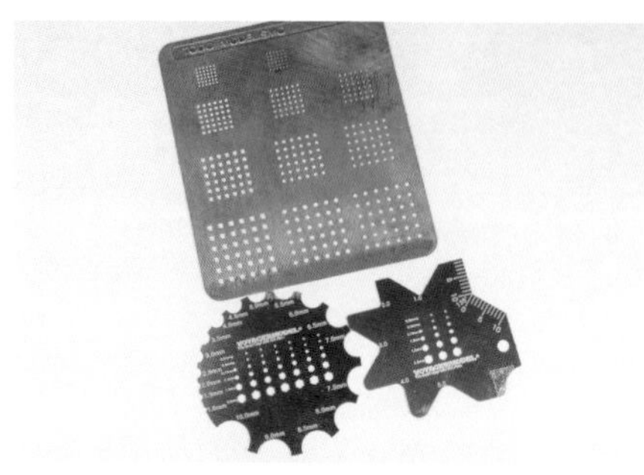

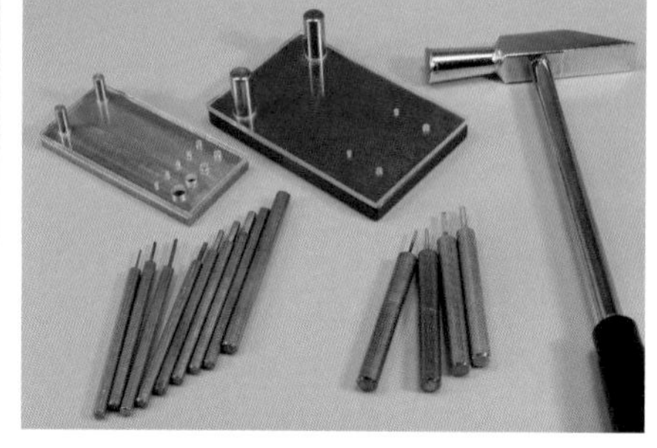

専用工具を使って自作する

ボルトやリベットを自作できる専用工具というものも売られている。左写真はエッチングセット、右写真は打ち抜き工具、パンチ(ポンチ)とダイ(打ち抜き台)のセット。大小各サイズのボルト、リベットを製作することが可能で、頻繁に模型を製作する方、特にディテールアップ、スクラッチビルドを行なう方はもって置くと重宝する。

エッチングセットの使用方法。不要なランナーの先端部をライターで炙り柔らかくし、それを自作したいサイズ、形状の穴に押し当てる。

型押しによりリベットやボルトがモールドされたランナー。

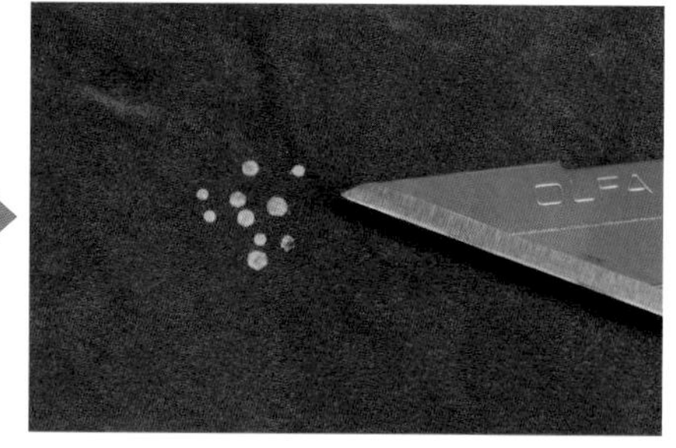

カッターでボルトやリベットのモールドを切り出す。

パンチとダイを使って自作する。ダイの間にプラ板をセットし、穴にパンチ(ポンチ工具)を叩き込んで、打ち抜く。

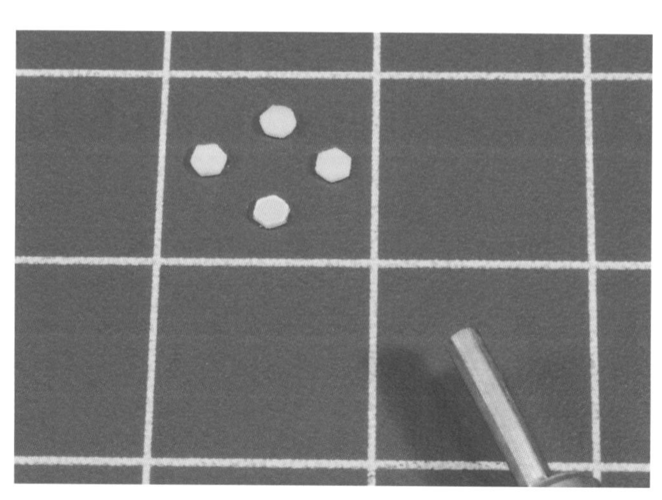

プラ板を撃ち抜いて自作した六角ボルト。打ち抜き式なので、0.3mm、0.5mmといった割と薄いプラ板の使用に限られる。

ボルトを作り直した１例

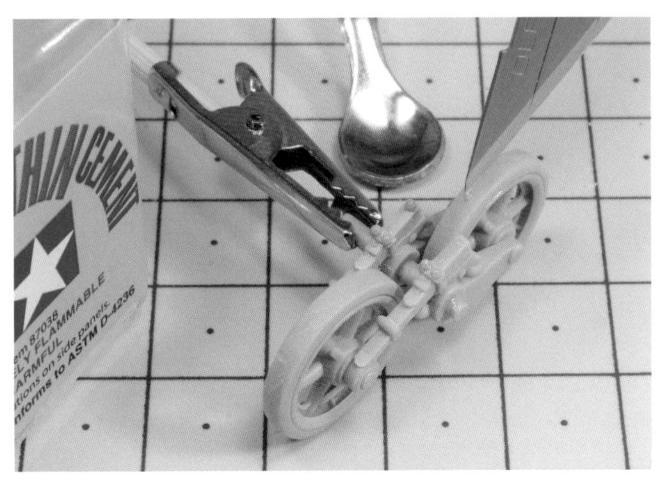

I号戦車Ａ型のサスペンションのボルトを作り直す。元のモールドを削り取り、接着剤を塗った後、先端が尖ったナイフの刃先を使って、ボルトパーツを取り付ける。

写真のパーツのように成型面の側面部分（このパーツの場合は上下およびパーツ周囲）のモールドは、シャープではないので作り替えると効果的。またパーティングラインの整形・処理でなくなったボルトやリベットの作り直しも可能。

《 プラ材を使ってパーツを自作 》

模型のディテールアップ作業においてもっとも多用する材料といえば、プラ材であろう。タミヤやエバーグリーンの製品がよく知られており、一般的なプラ板の他、角材、丸棒、さらに表面に凹凸が設けられたプラ板やＬ字、コの字、Ｈ字、Ｚ字形断面のプラ棒など、多種多様なものが存在する。ディテールアップのみならず、改造、スクラッビルドには欠かせない材料といえる。

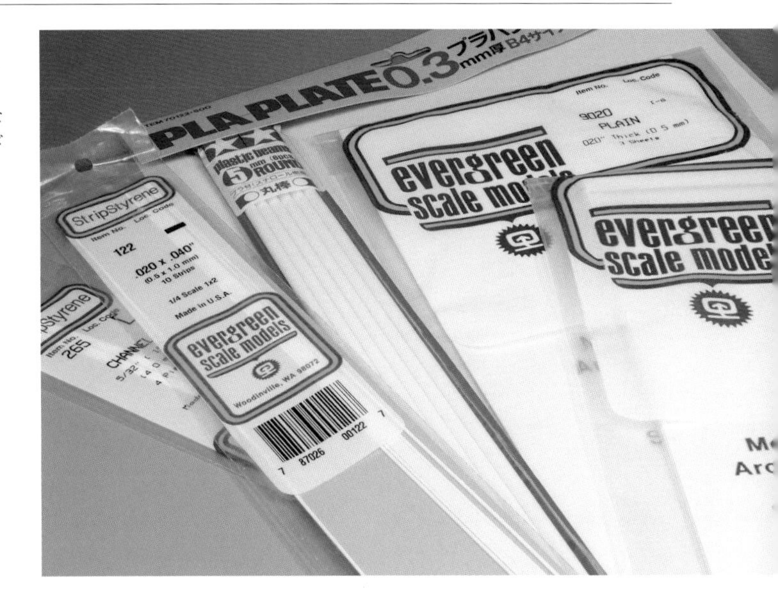

1/35 I号戦車のパーツを作り替える

ある程度の製作レベルに達すると、実車写真や資料などを参考にディテールアップを行なうようになる。形状やサイズが正しくない箇所、シャープさに欠けモールドがあまり良くない箇所は、プラ材を使って作り直すことで、模型の完成度が高くなる。上の写真は、スペインのゴロソ装甲車両博物館に展示されたI号戦車Ｂ型の足周りを撮影したもの。

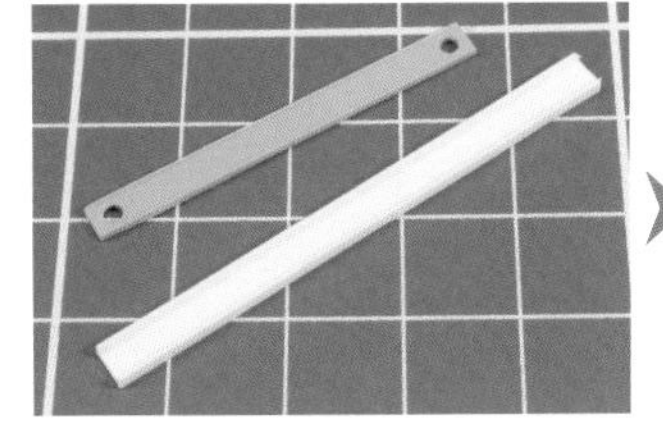

実車写真と見比べると、サスペンション・ビームのパーツは、サイズ（スケール）が少し小さく、上下の補強板、リベットのモールドも今ひとつ。そこでこのパーツはプラ材で自作したパーツに置き換えることに。

1/35スケールの上下幅にあったエバーグリーンのコの字形断面のプラ棒を使用。キットのパーツを重ね合わせ、同じ長さのところに印をつける。

印に合わせて、プラ棒をカットする。写真では、エッチング・ブレードと専用工具を使っているが、もちろん通常のカッターやナイフの使用でも何ら問題ない。

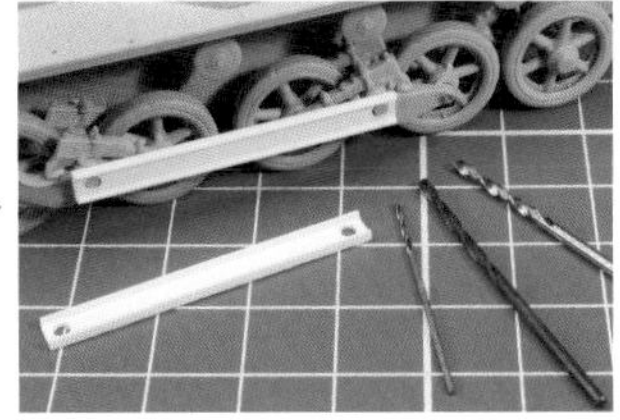

ドリル（ピンバイス）を使って、サスペンションに取り付けるための穴を左右両端に開口する。

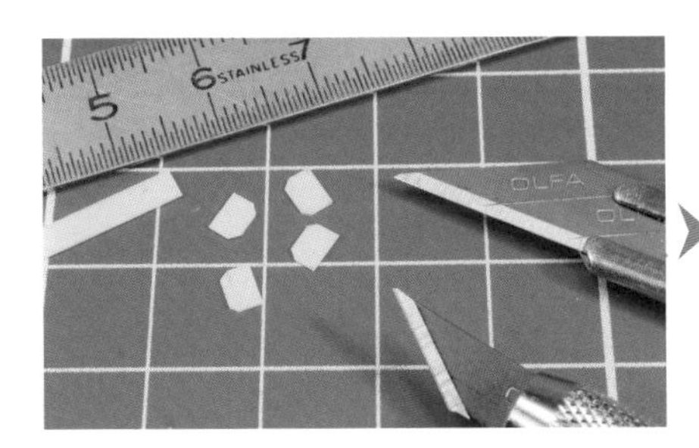

プラ板を切り出して、左右の補強板部分のパーツを製作する。

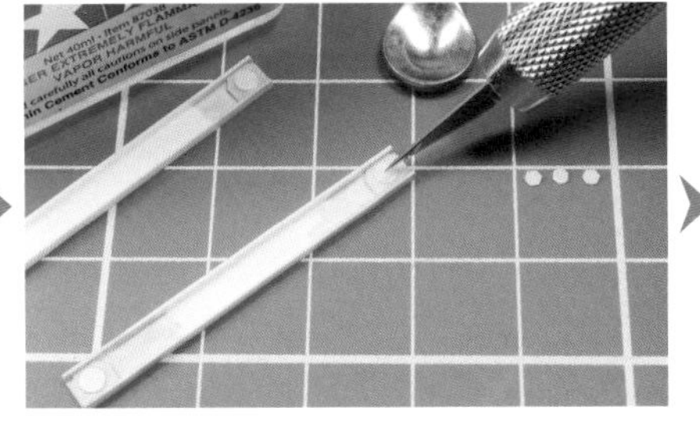

円形パーツを接着し、ディテールを作製していく。小パーツの取り付けは、ナイフの刃先を使って行なえば、正確な位置に置くことも容易。

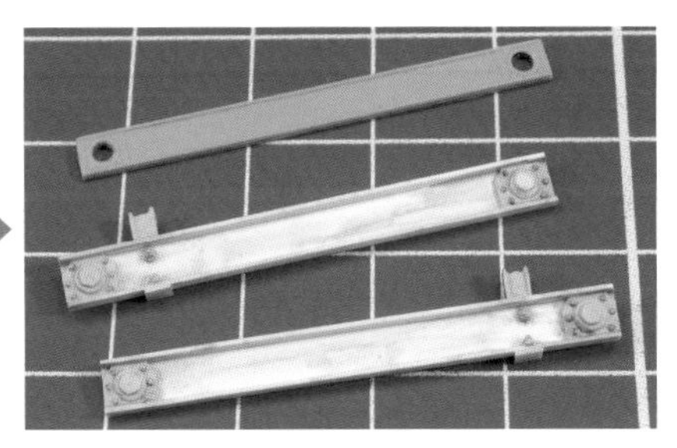

さらにボルト、リベットなどのディテールを追加して完成。キットのパーツ（上）と見比べると、自作パーツの効果（リアルさ）は一目瞭然。

プラ材で自作したサスペンション・ブームをI号戦車A型のサスペンションに接着したところ。

プラ板で1/35 T-34にディテールを追加

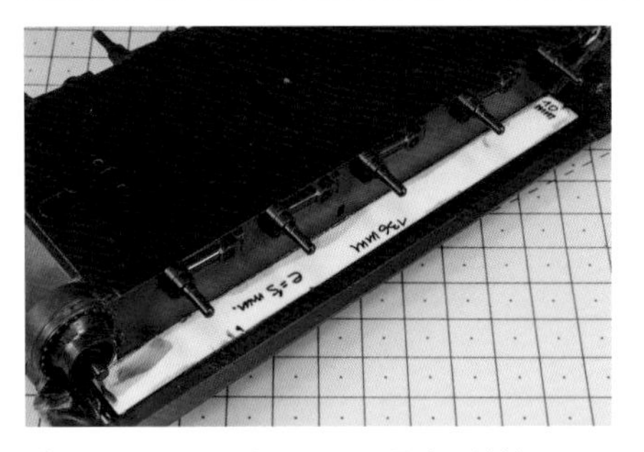

プラ板は、キットの隙間埋めにも最適の材料。タミヤ1/35のT-34は車体上部の左右底面に大きな開口部ができてしまう。作例は、開口部のサイズに合わせ、プラ板をカットし、接着したところ。

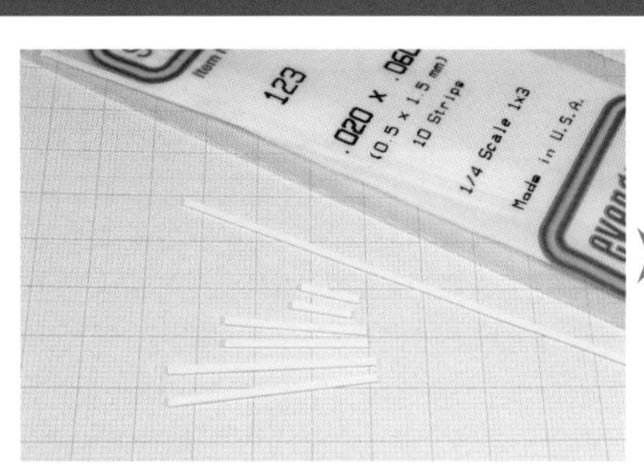

キットでは省略されている跳弾ブロックをエバーグリーンのプラ角棒で自作。

車体前部上面にエバーグリーンのプラ角棒で作製した跳弾ブロックを追加した。

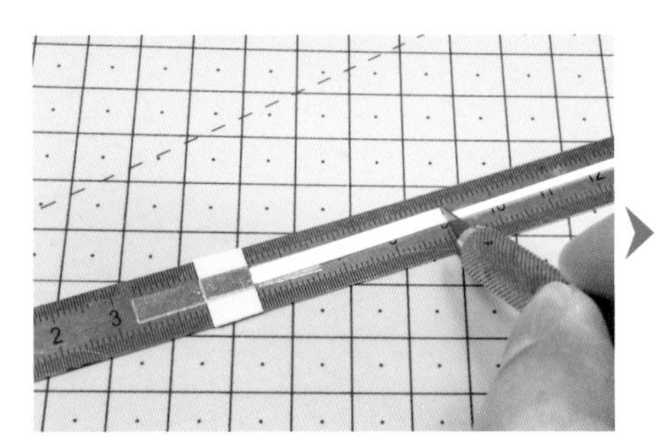

エンジングリルをエッチングメッシュに変更するため内部のシャッターをプラ材で自作。まず長さを測ってカットする。

プラ板とプラ丸棒で自作したシャッターを接着した状態。簡単な工作で、模型としての見映えアップにつながる。

《 小パーツの加工 》

I号戦車B型の実車（左写真）と1/35模型（右写真）の吊り上げフックを比較する。こうしたディテールも手を加えたい箇所の一つ。小パーツを加工する際は、写真のように一部ランナーがついた状態で行なうと作業がしやすくなる。

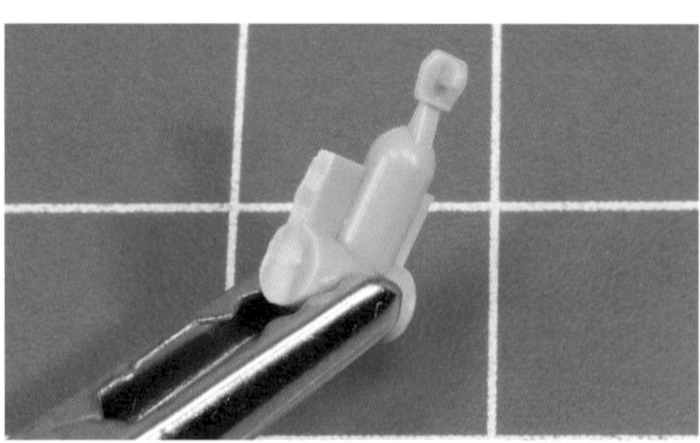

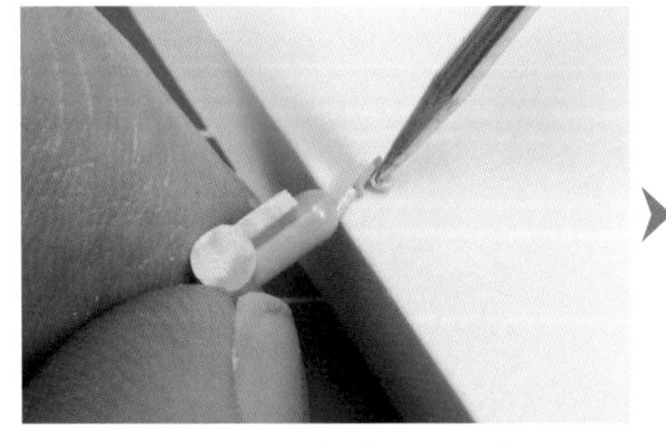

フックの凹みを再現する。穴の位置ズレを防ぐため、最初に穴を開ける部分に先端が尖ったものでアタリをつける。この写真では、パーツの保持台として消しゴムを使用している。

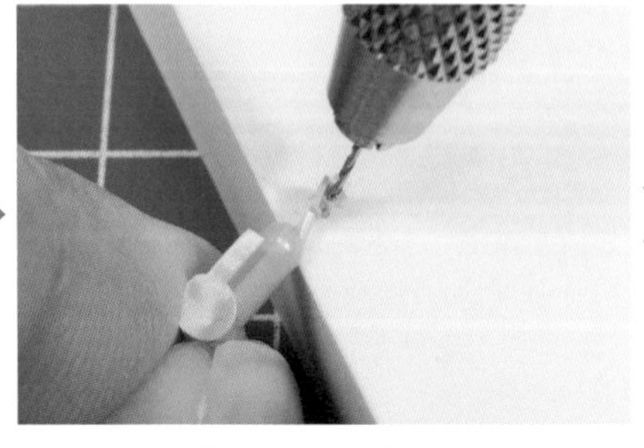

アタリにドリルを当て開口する。穴が垂直に開くように、またパーツが損傷しないように慎重に作業しよう。

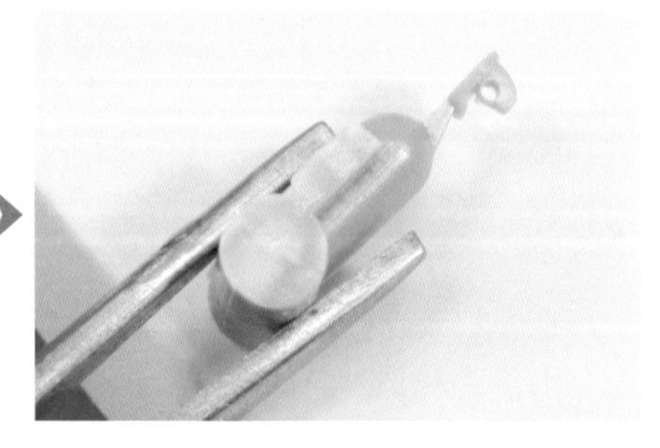

フックに穴を開けた状態。パーツにランナーが付いていた方が保持・作業しやすいことがわかる。

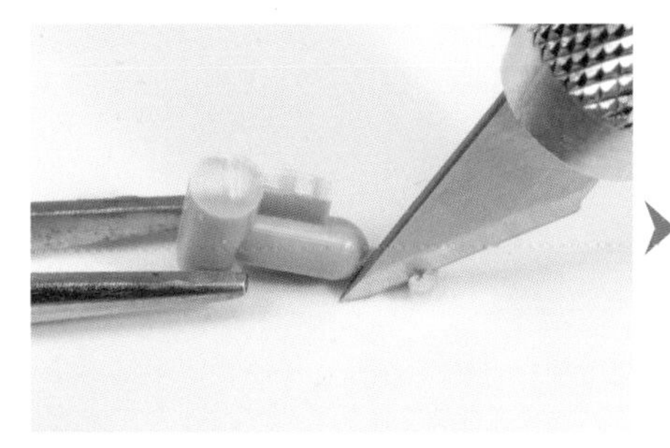

開口部の下部を切り取り、フック状に加工する。

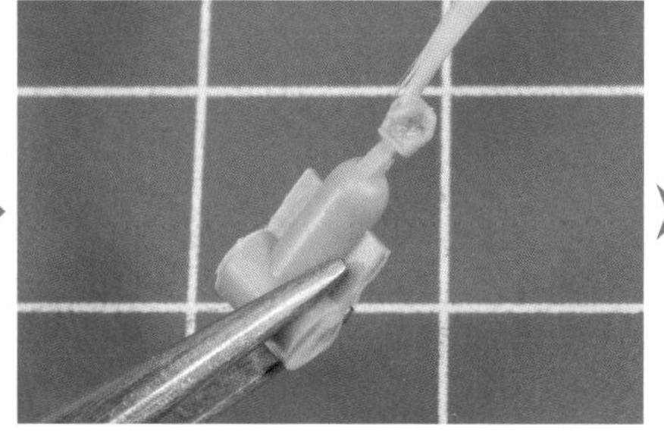

加工した部分に流し込みタイプの接着剤を塗り付け、表面をなだらかにする（表面の傷、削り跡を均す）。

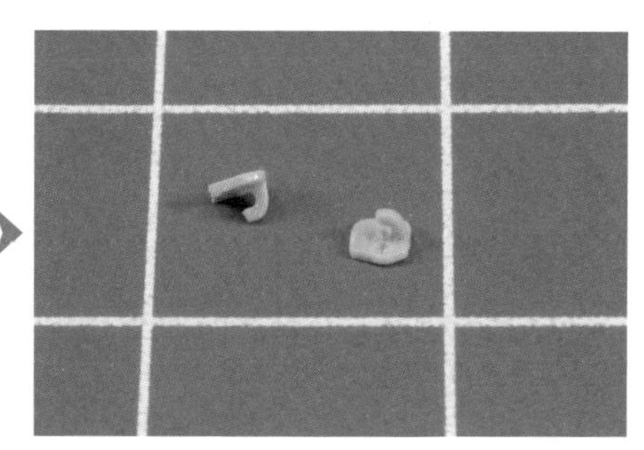

パーツからランナーをカットする。

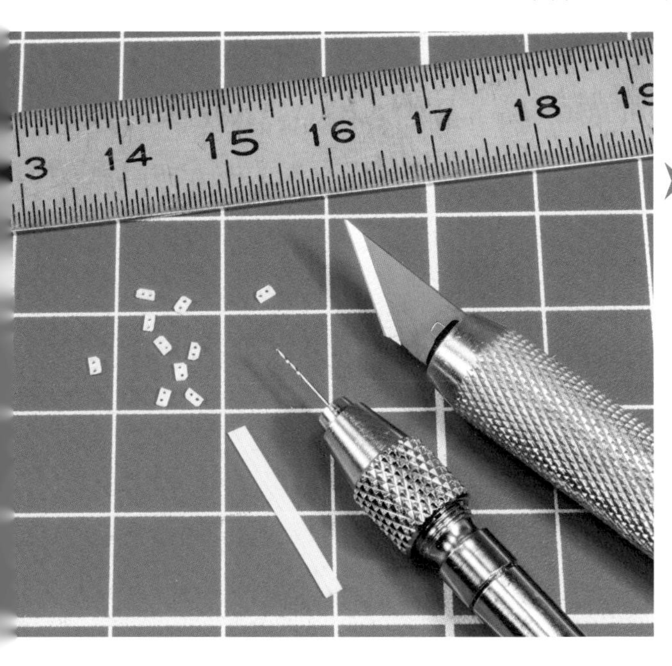

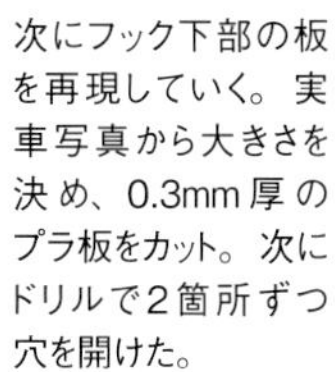

次にフック下部の板を再現していく。実車写真から大きさを決め、0.3mm厚のプラ板をカット。次にドリルで2箇所ずつ穴を開けた。

加工が完了した吊り上げフックを砲塔や車体に取り付ける。

《 パーツ表面の整形処理 》

不要な取り付け穴を埋める

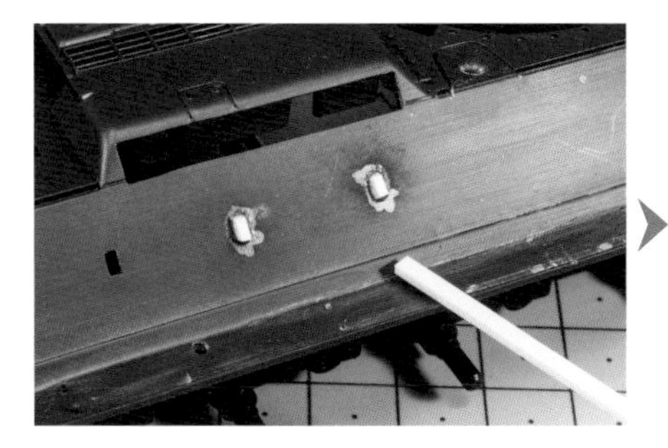

1/35 T-34の燃料タンク取り付け穴を埋める。穴の大きさ・形状に合ったプラ棒を差し込み、接着剤を塗布。

接着剤が乾いた後、はみ出たプラ棒をカットする。

400～1000番と徐々に目の細かなペーパーをかけて平らに整形していく。

最後に1500番くらいの研磨用スポンジペーパーで磨いて仕上げる。

うすめ液で解いたタミヤのベーシックパテを塗り、ヒケや傷、隙間がないかをチェックした後、再度ペーパーをかけておく。

突き出しピン跡などの処理

大きなパーツの裏側には射出成型時にできる丸い凹み＝突き出しピンの跡（×の部分）が残っている。ペーパー掛けのみで済む浅いピン跡もあれば、瞬間接着剤やパテを必要とする深い凹みもある。完成後に見えない箇所なら問題ないが、写真のパーツのように完成後も見えてしまう箇所のピン跡は、必ず整形処理しておこう。

このパーツの突き出しピン跡なら、瞬間接着剤で埋めることが可能だ。ピン跡から少しはみ出す程度に瞬間接着剤を点づけする。

瞬間接着剤が完全に乾いたら、カッターで平らに削っていく。

ペーパーをかけてきれいに均す。こういった作業には4ページで紹介した板張りの自作ステック状ペーパーを使用すると便利。

さらに1500番くらいの研磨用スポンジペーパーで磨いて仕上げる。

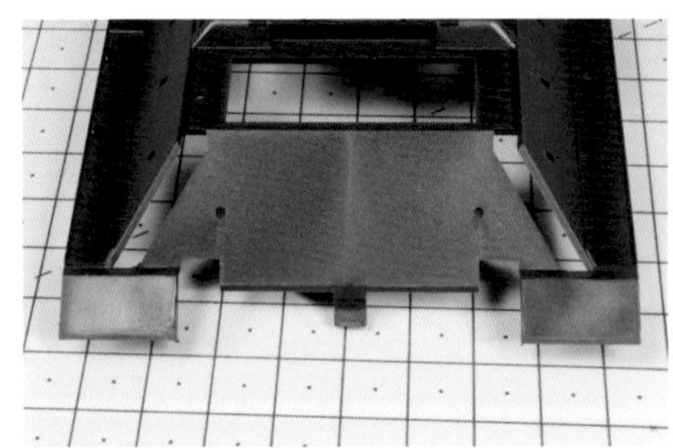

うすめ液で充分に希釈したタミヤのベーシックパテを軽く塗り、完全に突き出しピン跡が消えているかをチェック。

突き出しピン跡にヒケや凹み、周囲にペーパー掛けの跡などが残っていなければ完了。

《 スケールに合った厚みに加工する 》

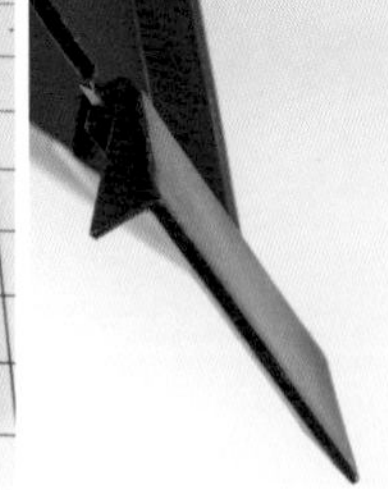

パーツの厚みが（スケール上の）実際の厚みよりも厚くなっており、実感を損ねている箇所がある。例えば、戦闘室装甲板の上端やハッチの周囲、フェンダーの縁などによく見られる。そうした箇所は、内側をカッターで削って薄くすることで、スケールに合ったリアルさを演出することができる。ここでは、タミヤ1/35 T-34のフェンダーを例に解説する。

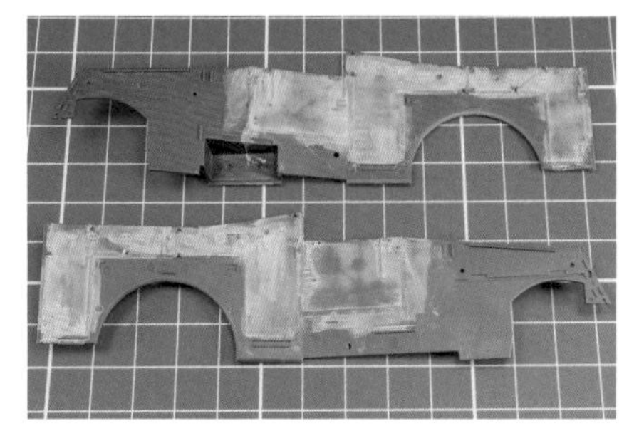

フェンダー内側の後縁をカッターで削って薄くする。

削った跡を平ヤスリやペーパーで均す。薄くするだけなら、これで完了。

さらにダメージ加工を施す。ペンチなどを使って、フェンダーに歪みや凹みをつける。

表面についた傷は、ペーパーなどで消していく。

うすめ液で希釈したタミヤのベーシックパテを薄く塗り仕上げる。

軽くペーパー掛けすれば完了。プラの厚みを薄くしただけでなく、ダメージ加工を施すことで戦車らしい雰囲気を出すことができる。

《 必ずやっておくべき穴あけ加工 》

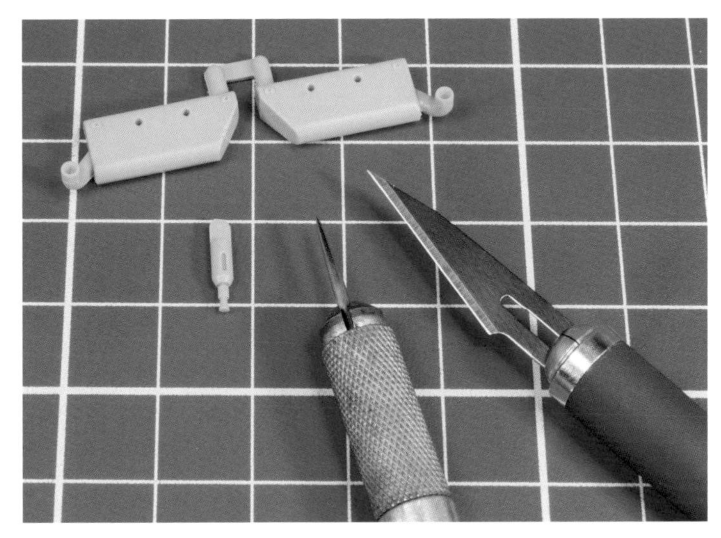

模型製作でよく行なう作業の一つに穴あけ加工がある。機関銃の銃口や排気管の排気口などは、プラスチックの成型上、塞がっていることが多いので、開口する必要がある。穴あけ作業も模型の完成度を高める重要なポイントだ。

機関銃の銃口を再現する。機関銃は正面から見えるので、銃口の有無は完成後にかなり目立つ箇所と言える。写真は1/35 III号戦車の同軸機関銃パーツ。

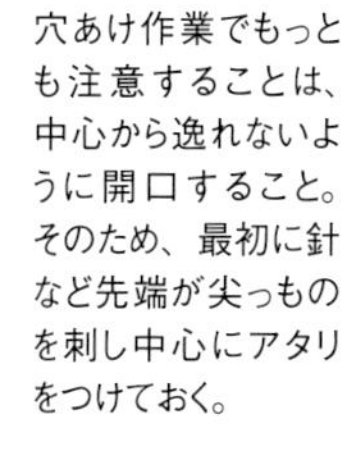

穴あけ作業でもっとも注意することは、中心から逸れないように開口すること。そのため、最初に針など先端が尖っものを刺し中心にアタリをつけておく。

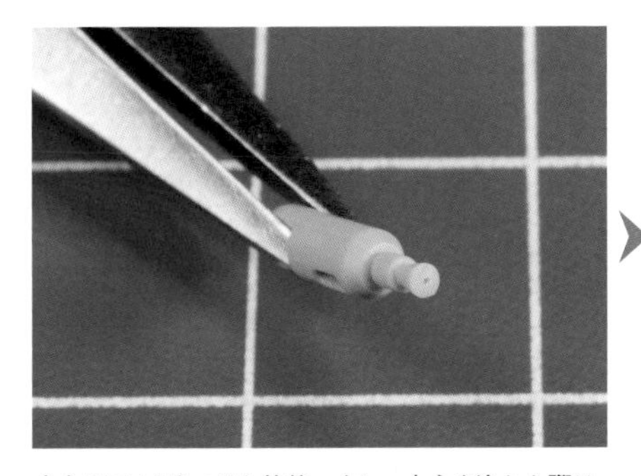

中心にアタリをつけた状態。もし、中心を逸れた際は、瞬間接着剤で穴を埋め、やり直せば問題ない。

アタリを基に径が合ったドリルで開口するか、写真のように先端が尖ったモデリングナイフを回転させて開口する。

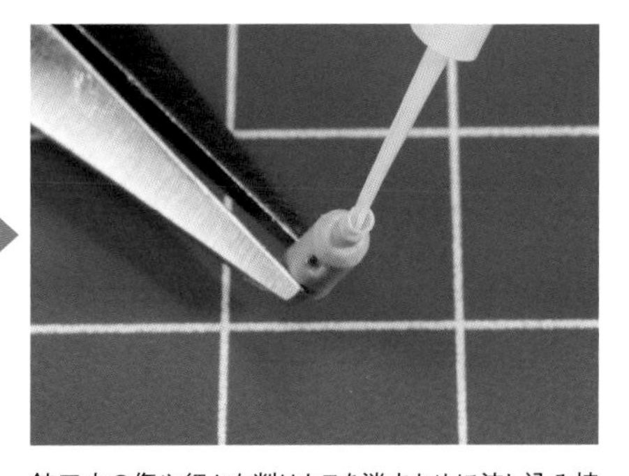

銃口内の傷や細かな削りカスを消すために流し込み接着剤を塗布する。

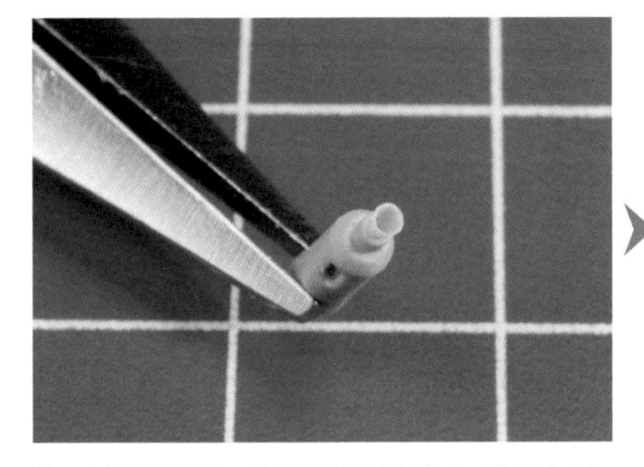

銃口を開けた状態。実銃写真などを見て、銃口（フラッシュハイダー）の厚みはそのスケールに合ったものに。

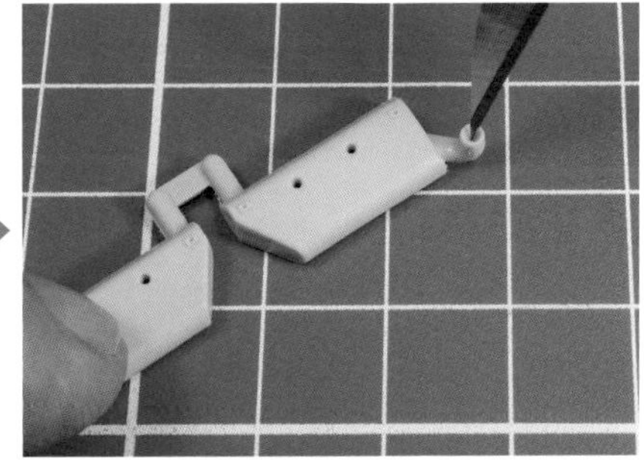

同様の方法で1/35 III号戦車のマフラーの排気管も加工する。

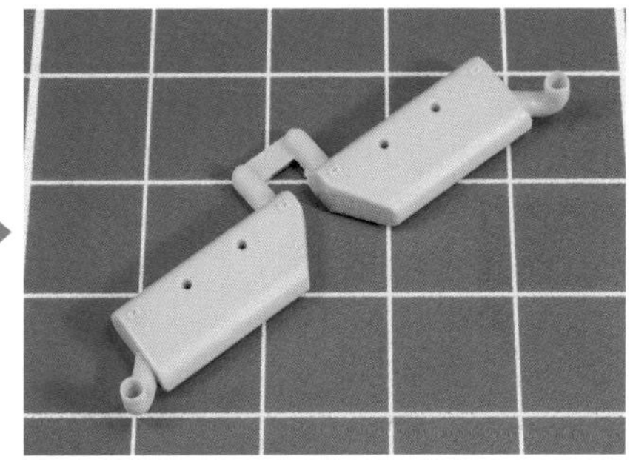

排気口を開けた状態。できるだけ厚みを薄くすることがリアルに見せるポイントと言える。

《 エッチングパーツを使用する 》

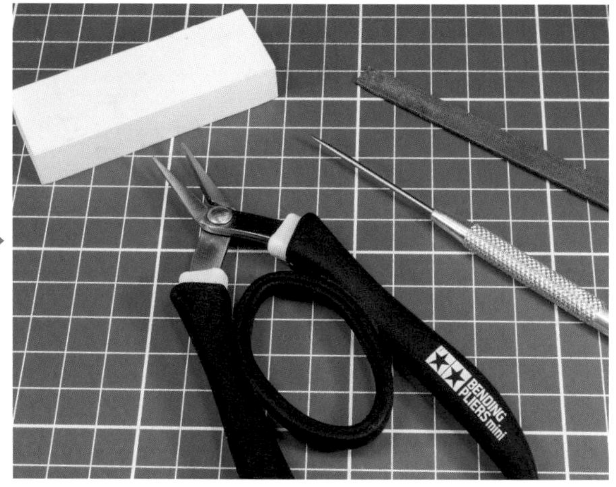

エッチングパーツは、ディテールアップ用素材の筆頭に挙げることができる。最近では、プラスチックモデル・キットの発売直後にそれらに対応したエッチングセットが各メーカーから発売されるほど模型関連製品として一般化している。エッチングパーツを加工する際には、それに対応した工具も用意しておこう。

車載工具固定具を作る

エッチングパーツは、極小パーツのディテールアップや厚みをできるだけ薄くしたい箇所の再現に最適である。写真（ガロソ装甲車両博物館のI号戦車B型）のようなドイツ戦車の車載工具固定具の再現には、エッチングパーツの使用がかなり効果的だ。

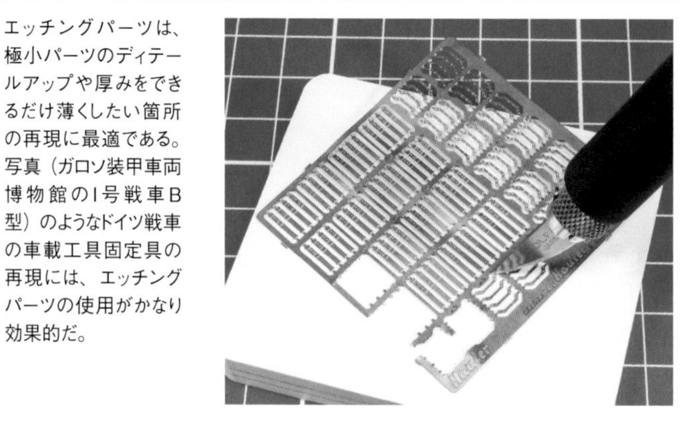

使用するパーツをカッターで切り取る。薄くて細いエッチングパーツは、カッターで強く押さえつけた際に変形するおそれがあるので、硬い台座の上に載せてカットすること。

切り出したエッチングパーツには、多少のバリが残っている。

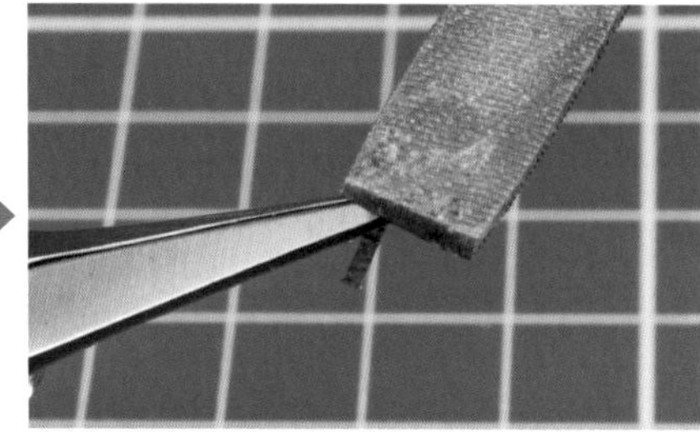

残ったバリは必ず金属ヤスリや粗めのペーパーをかけてきれいに取り除いおく。

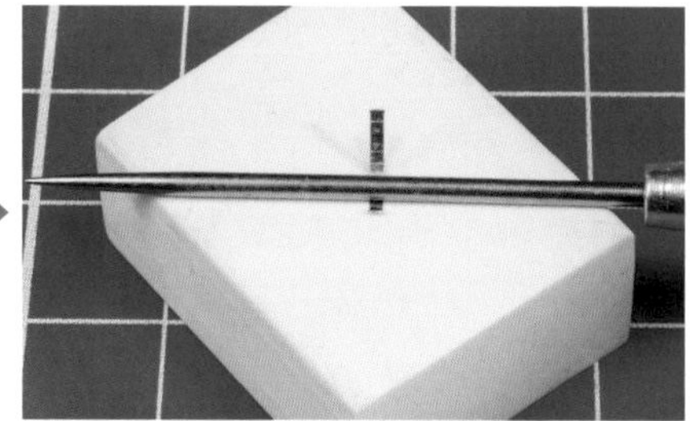

緩やかな曲げ加工が必要なパーツは、このような丸棒を当て少しずつ湾曲をつけていく。

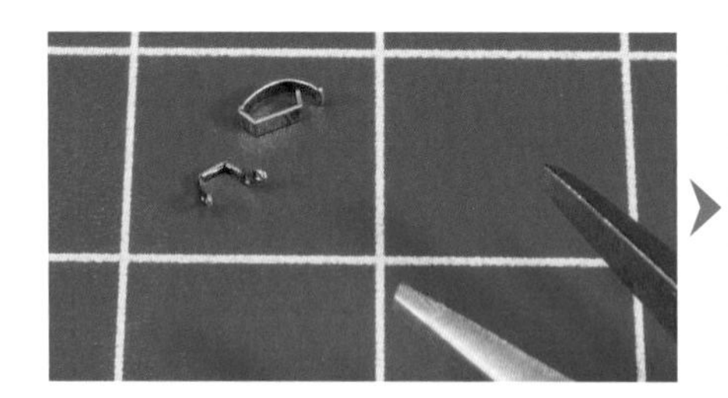

折り曲げ加工は、エッチングベンダー（先が細いペンチなど）を使えば容易に行える。

ピンセットを使って、クランプにハンドルを取り付ける。こうした細かなパーツは両面テープに固定して行なうと作業がしやすくなる。

ピンセットで左右を挟み、ハンドルを固定する。柔なエッチングパーツは、力を入れ過ぎるとパーツが変形してしまうので、要注意。

接着には瞬間接着剤を使用。こうした極小パーツは、瞬間接着剤をつけ過ぎるとモールドやディテールが埋まってしまうので、針や伸ばしランナーの先に接着剤を点付けして行なう。

組み終えたドイツ戦車の車載工具固定具。各部の結合や曲げ加工は、実車写真を参考にすると良い。

エッチングパーツで作った車載工具固定具をキットに取り付けた状態。ディテール再現にはエッチングパーツの使用効果がかなり高いことがわかる。

エンジングリルのメッシュを再現する

エンジングリルのメッシュもエッチングパーツがよく用いられる箇所である。写真のタミヤ1/35のT-34のエンジングリルは、メッシュがモールドされた一体成型パーツになっている。このメッシュ部分をエッチングパーツに交換していこう。

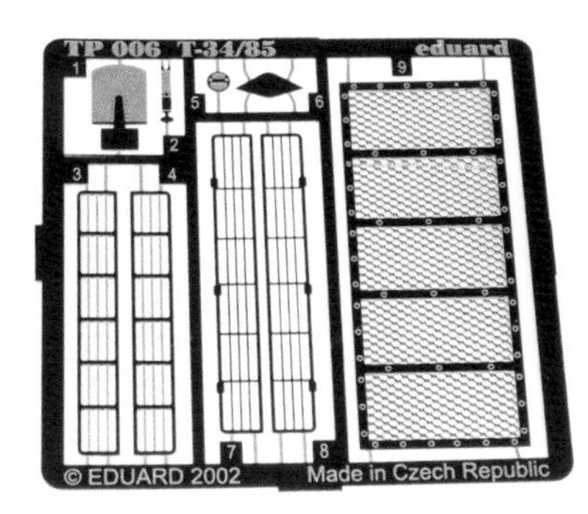

タミヤ1/35 T-34に対応したエッチングパーツは数社から発売されているが、作例はエデュアルドの製品（T34/85用 品番TP006）を使用し、作業を進めていく。

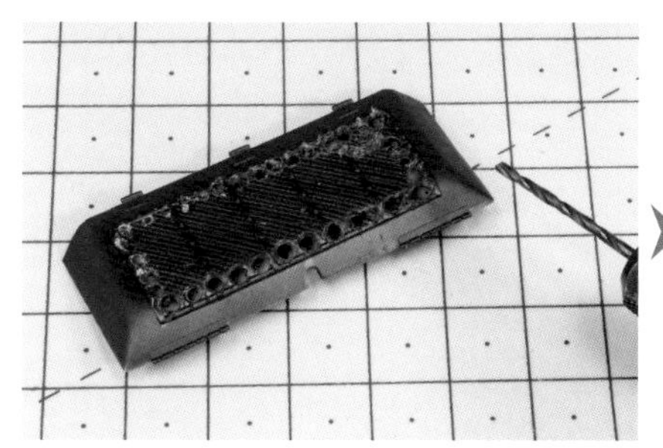

メッシュのモールドが施された箇所を切り抜く。まず、メッシュ部分内側の周囲をドリルで穴開けした。

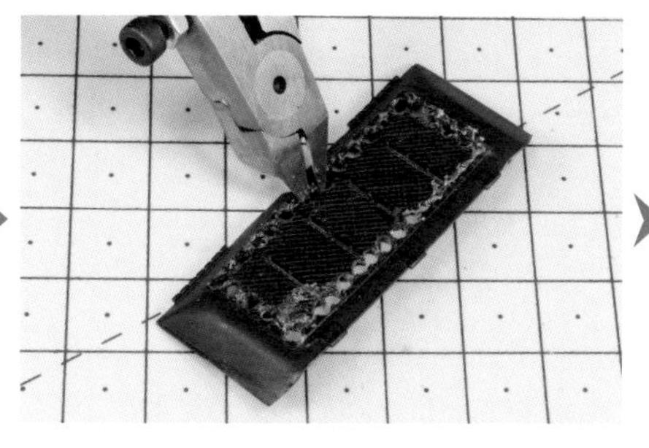

ドリルの穴にニッパーを差し込んでメッシュ部分を切り取っていく。

メッシュ部分を切り取った状態。

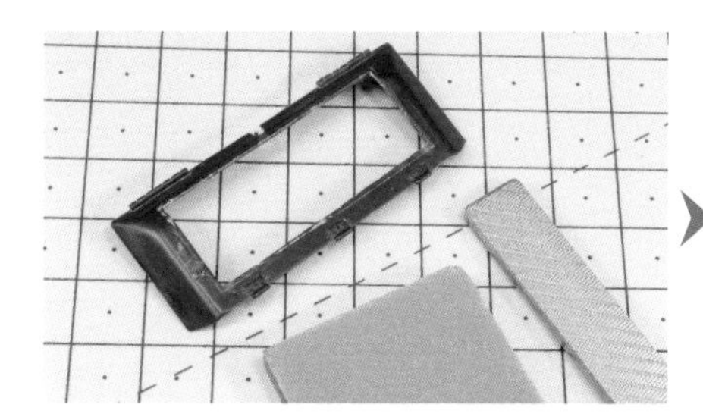

平ヤスリを使って、開口部内側に残ったギザギザの切り取り跡を取り除き、ペーパー、さらに研磨用スポンジペーパーを掛けてきれいに整形していく。

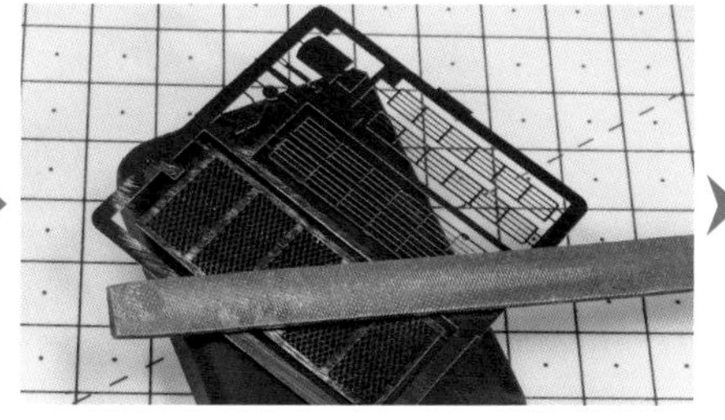

接着時にプラパーツへの食い付きを良くするため、エッチングパーツの接着面にペーパーを掛けして表面を粗しておく。この時、エッチングパーツの変形を防ぐために台座に載せて作業を行なうこと。

使用するメッシュパーツをランナーからカット。ヤスリ、ペーパーでバリを取り除いた後、プラパーツの湾曲に合わせ、メッシュパーツにも丸みをつける。

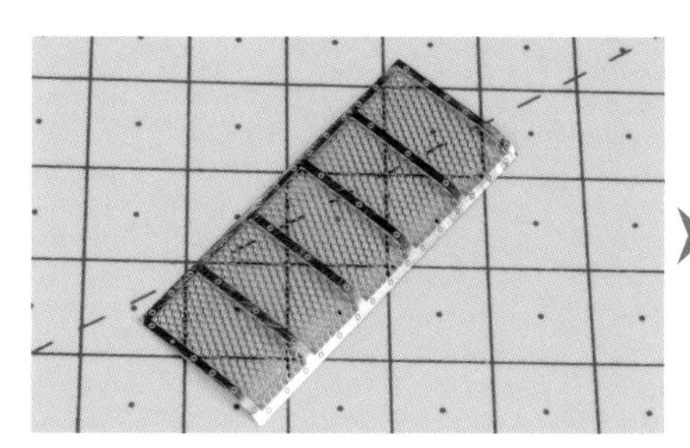

作業中はプラパーツと仮合わせしながら、エッチングパーツに湾曲をつけていく。事前に表側もプライマーや塗料の食いつきを良くするためにペーパー掛けしておこう。

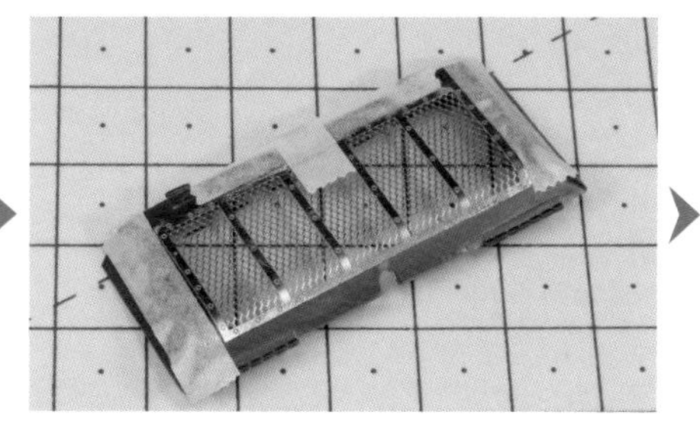

接着位置を間違え、エッチングパーツを剥がす際に変形させてしまわないようにマスキングテープを使って、正確な位置に仮留めする。

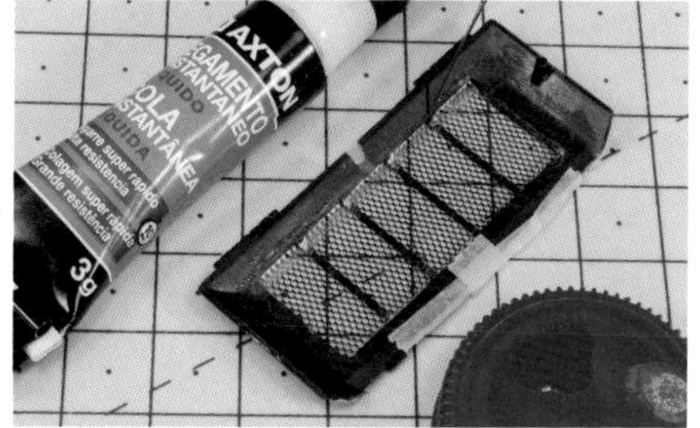

瞬間接着剤を伸ばしランナーにつけ、裏側からエッチングパーツを接着する。

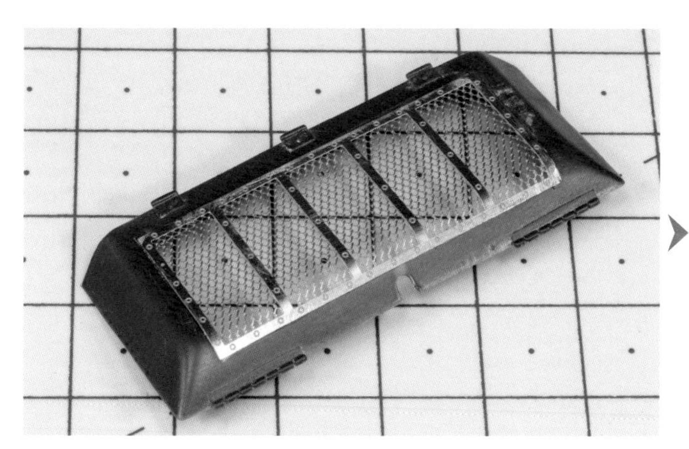

写真のように裏側から接着すれば、きれいに仕上げることができる。

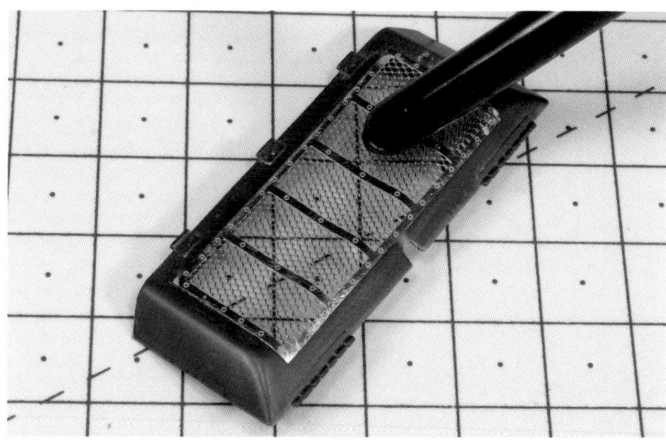

さらにエッチングパーツの特性を活かし、メッシュに凹みをつけ、ダメージ加工を施すことも簡単にできる。

《 金属線を使ったディテールアップ 》

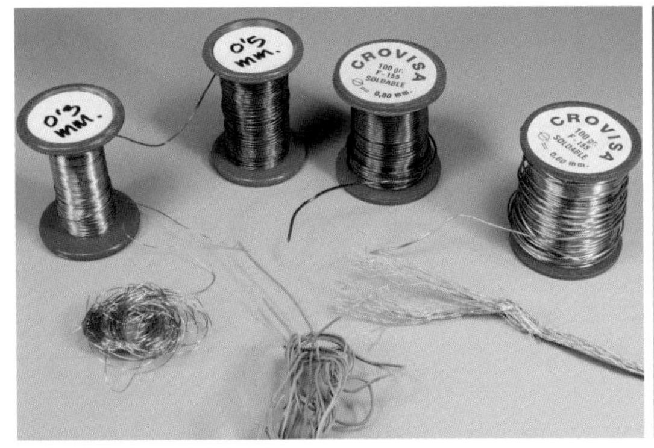

戦車などのAFVには、手すりや取っ手、チェーンやスプリングなどが多数取り付けられている。模型のプラパーツでは、それらは断面が真円でなかったり、オーバーサイズであったり、また車体パーツと一体成型されており、実感を損ねていることもある。細くて小さいそれらのパーツは、塗装やウェザリングの際に破損してしまうこともある。そこでよく行われるのが、それらを金属線（金属の素材）で作り替えることだ。

あると便利な工具

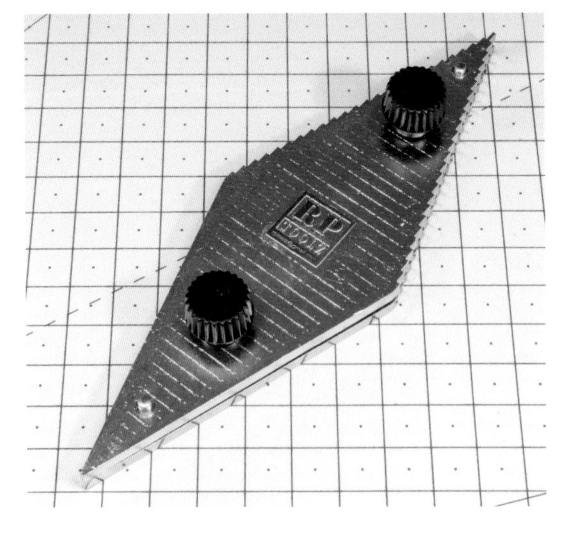

同じ長さの手すりなどを複数作るのは、結構大変な作業。そんな時に重宝するのが、金属線を曲げ加工できるベンダーツールである。写真は、RPツールズ社のハンドル・ベンダーツールだが、同じ用途の他社製品は日本国内でも入手可能だ。

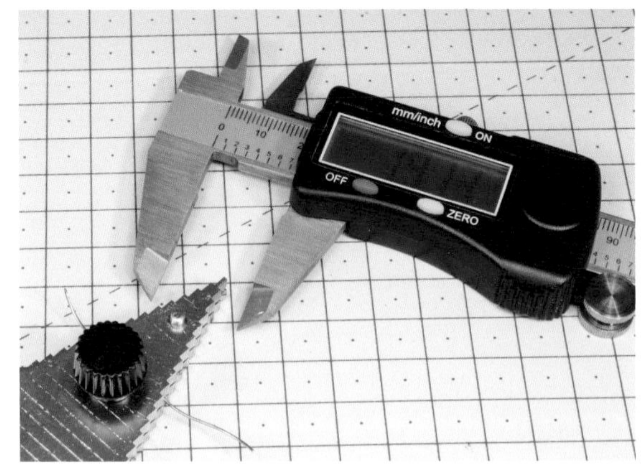

模型の場合、パーツのサイズや取り付け穴の間の長さなど、レイコンマ何mmまで測る必要がある。また自作するパーツは大抵小さいので、定規を当てづらい箇所もある。そんな時は、ノギスがあると便利。

あると便利な工具

1/35 T-34の手すりを金属線で自作する。作例は、0.5mm径の銅線を使用。キットの手すりパーツの長さを測り、ベンダーツールで銅線の曲げ加工を行なう。

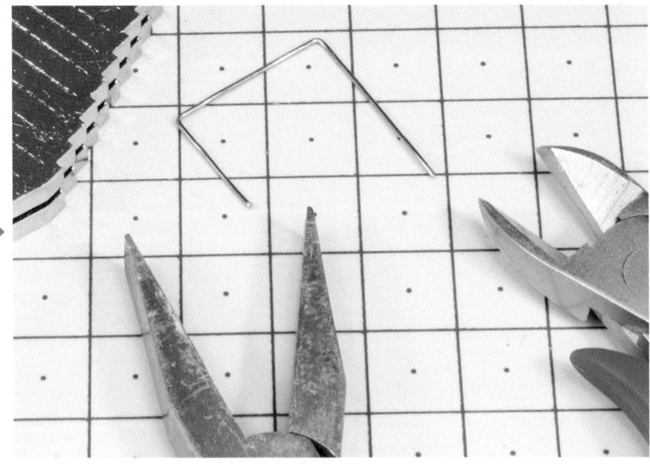

曲げ加工を施した銅線。ここでは、少し長めにカットしておこう。

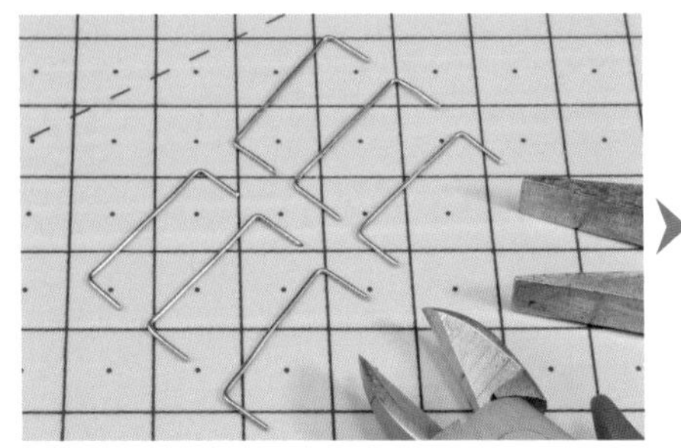

銅線を適度な長さでカット。ベンダーツールを用いれば、同じ長さ、同じ角度で折り曲げる（エッジを強く出す）ことは簡単だ。

ドリルで穴開けした際に位置ズレしないように、まず手すりを取り付ける位置に針など先端が尖った工具でアタリをつけておく。

アタリをつけた箇所にドリルを当て、穴を開ける。穴は銅線と同じ径か、それよりわずかに太い径で開口する。

針や伸ばしランナーの先に瞬間接着剤をつけ、手すりを取り付けていく。

車体との間にプラ材を挟んで作業を行なえば、車体と手すりの隙間を均等にすることができる。

T-34の小パーツを作る1

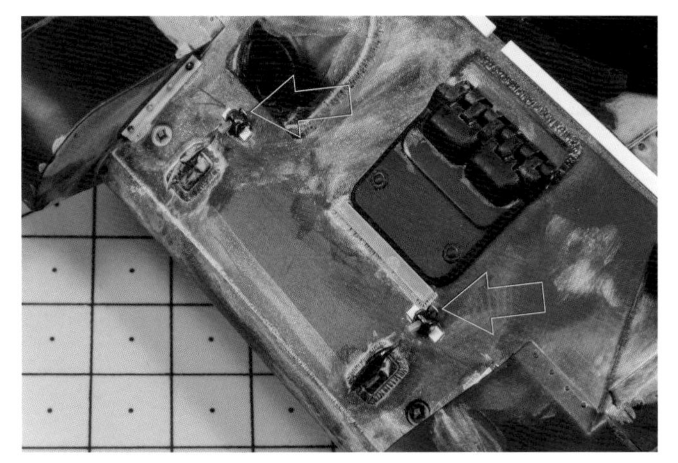

1/35スケールでは、小さな取っ手やハンドル、フックなどは省略されていたり、車体やパネルなどと一体成型になっていることが多い。そうした小パーツ類も金属線で再現することで完成時の見映えアップとなる。ここではT-34を作例として解説。

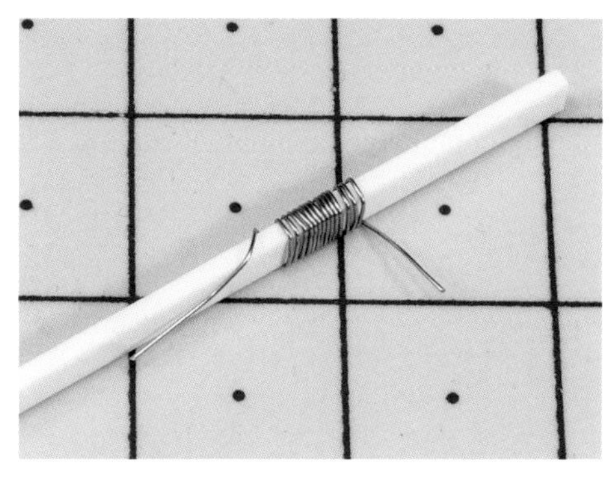

牽引ケーブル固定具の小ハンドル（左写真の矢印の箇所）の作り方。まずハンドルのサイズにあったプラ角棒に銅線を巻きつける。角をつけるために強く巻くこと。

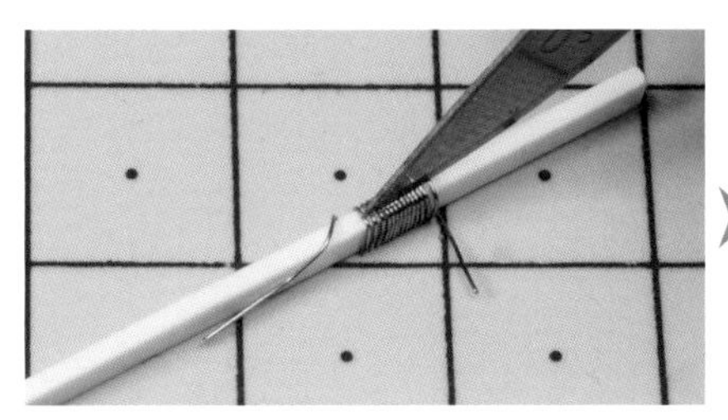

銅線を巻き付けた状態のままで、上下面を鋭利なカッターでカットしていく。

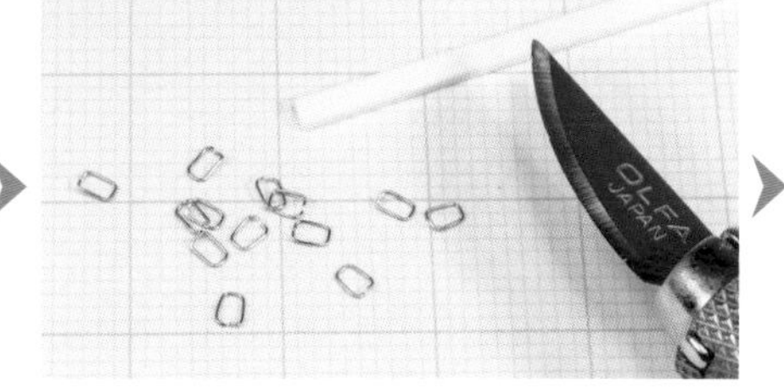

切り出した小パーツ。この方法だと、同じサイズのものを一度に多数作ることができる。

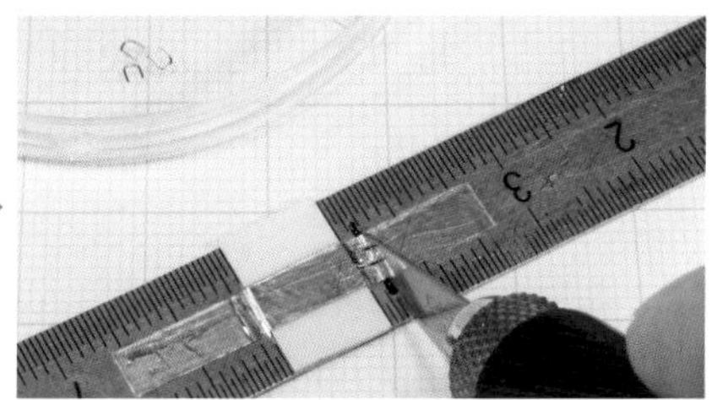

正確なサイズを測り、余分なところをカット。このような小パーツは両面テープで固定して作業する。

T-34の小パーツを作る2

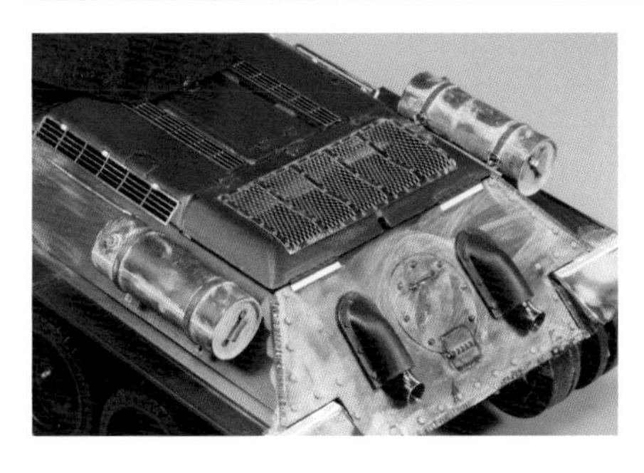

各部の取っ手、ハンドル類も同様な方法で作製している。またプラパーツに一体整形されたT-34の外部燃料タンクの取っ手などは金属板で作り替えた。

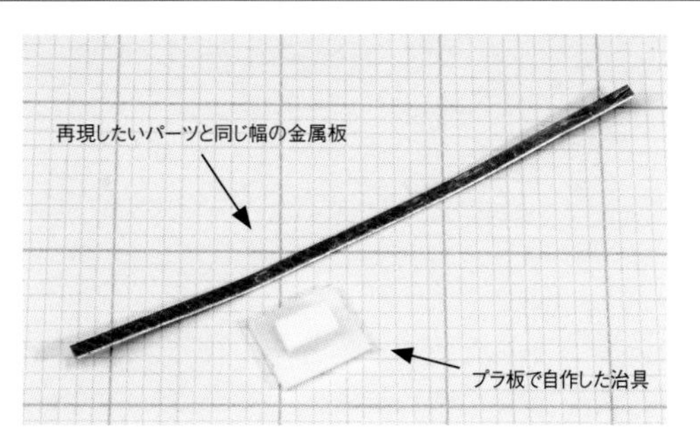

板状の取っ手を作製する。まず再現する取っ手と同じ幅の金属板（比較的柔らかな材質のもの）と取っ手を形作るためプラ板で自作した治具を用意。

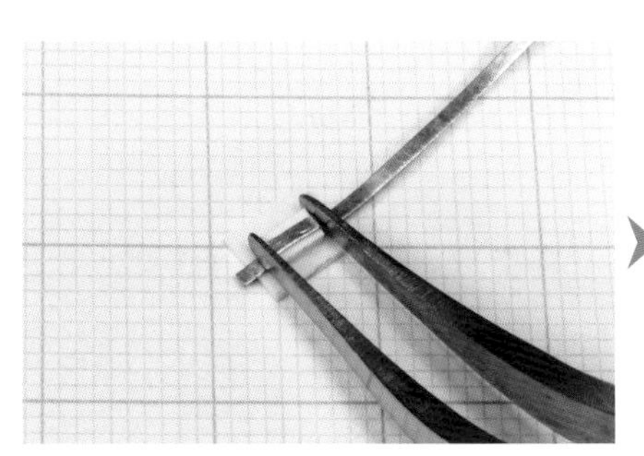

プラ板製の治具に金属板を載せ、ピンセットで強く挟んでコの字形に加工する。

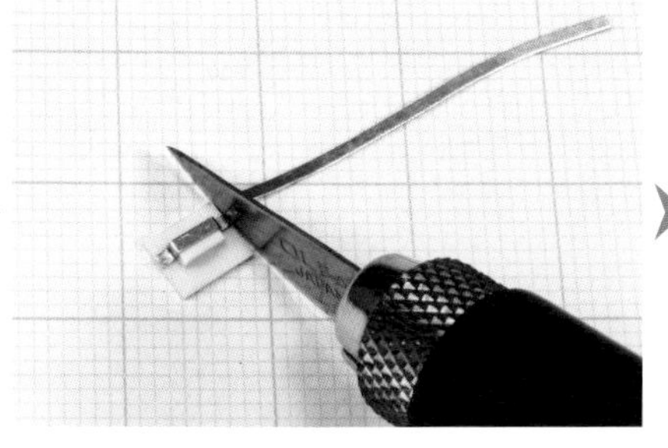

形をつけた後にカッターでカットしていく。

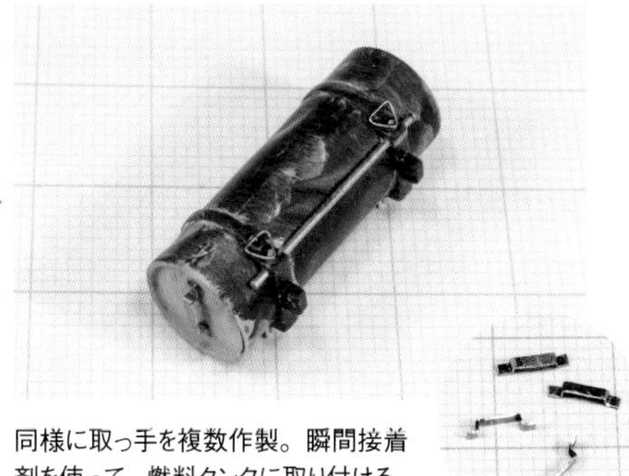

同様に取っ手を複数作製。瞬間接着剤を使って、燃料タンクに取り付ける。

M4シャーマンの小パーツを作る1

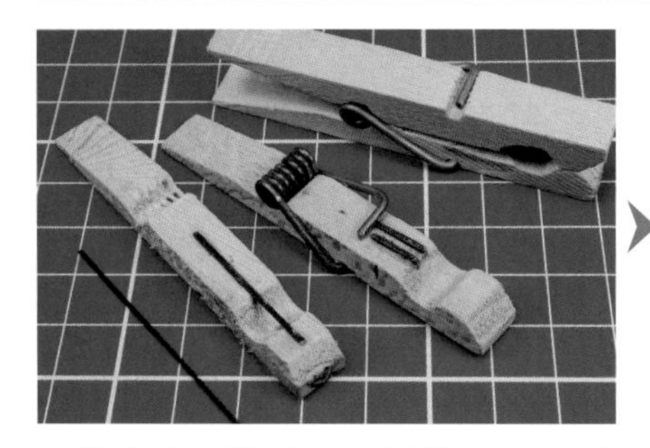

M4戦車には、無数の小フック(タイダウン・フック)が取り付けられているが、模型では砲塔や車体パーツに一体成型されたモールドで表現されている場合が多い。同じ形のパーツを数多く作る際は、専用工具を自作すると便利。作例は、洗濯バサミの内側にフックに形に合った金属棒(写真は糸ノコの刃)を加工して接着してある。

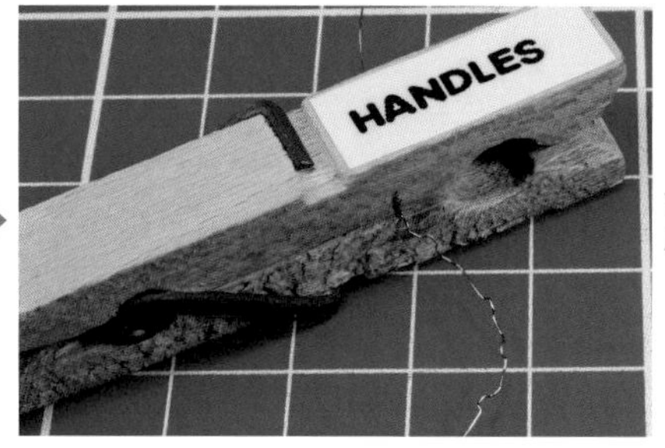

自作工具に0.2mm径の銅線を挟んむだけで、同じ形(台形)、同じサイズで曲げ加工した部分をいくつも作ることができる。

加工した銅線から台形部分をカットし、小フックを多数切り出した。

車体や砲塔パーツにモールドされた小フックを削り取る前に、フックの設置位置がわかるようにトレーシングペーパーにフックの配置を写し取っておく。

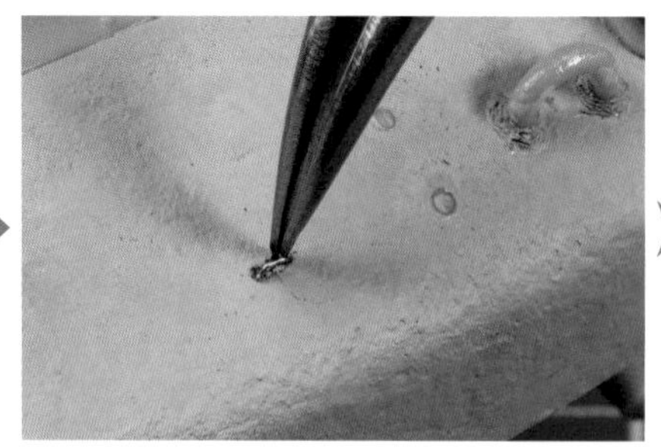

モールドを削り取り、トレーシングペーパーを使って、取り付け位置に印をつけた後、ドリルで穴を開口。小フックを取り付けていく。

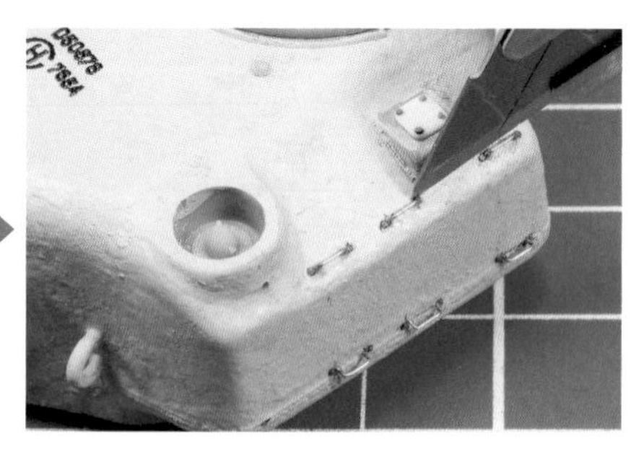

小フックの両側にある丸い取り付け基部も再現。フック取り付け部両側にカッターの刃先を使ってプラ製リベットを接着した。

リベットに流し込み接着剤を塗り、プラスチックを柔らかくする。

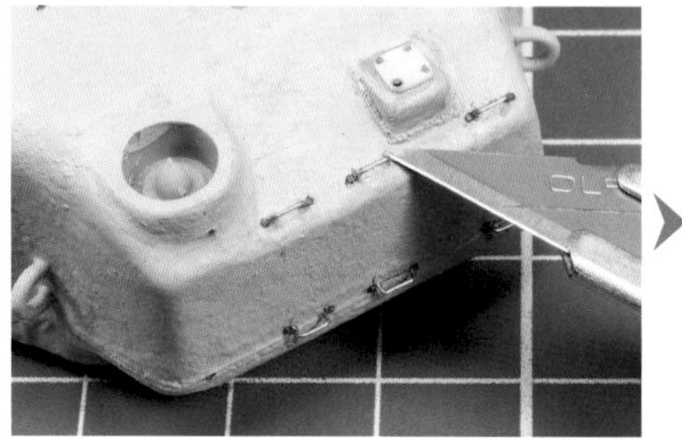

水平にしたカッターの刃を押し付けてリベットを平らに加工する。

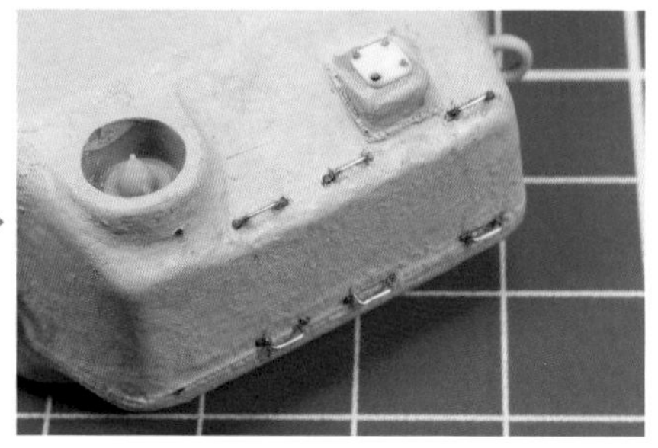

砲塔後部の小フック。銅線で作り替えたことで、精密感を出すことができた。

M4シャーマンの小パーツを作る2

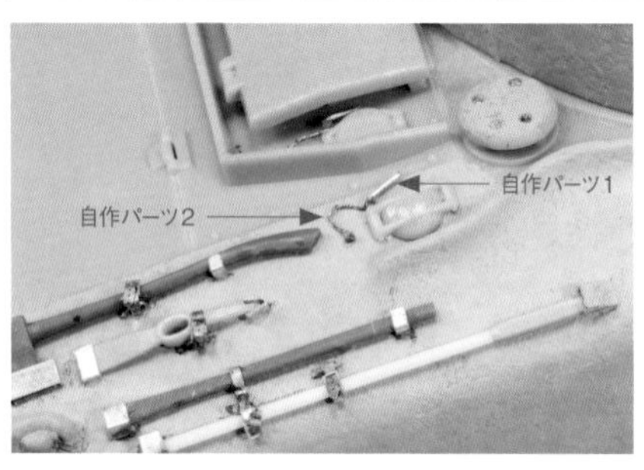

機関室の燃料注入口キャップをディテールアップする。

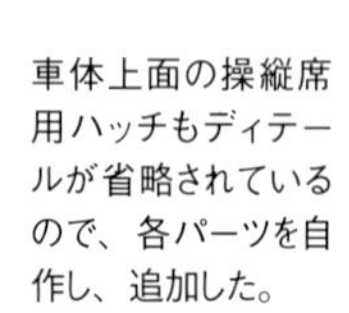

車体上面の操縦席用ハッチもディテールが省略されているので、各パーツを自作し、追加した。

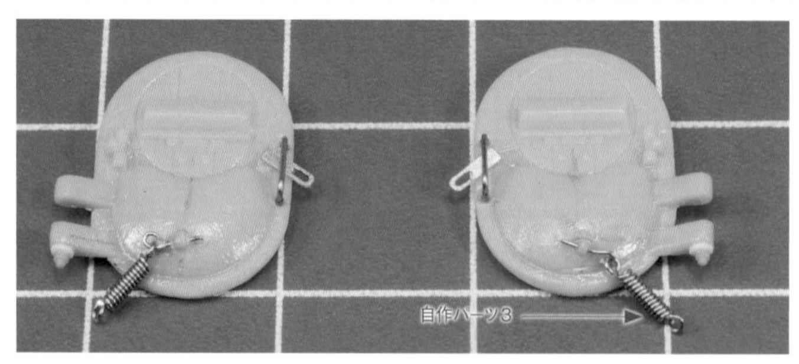

〔自作パーツ 1〕の作り方

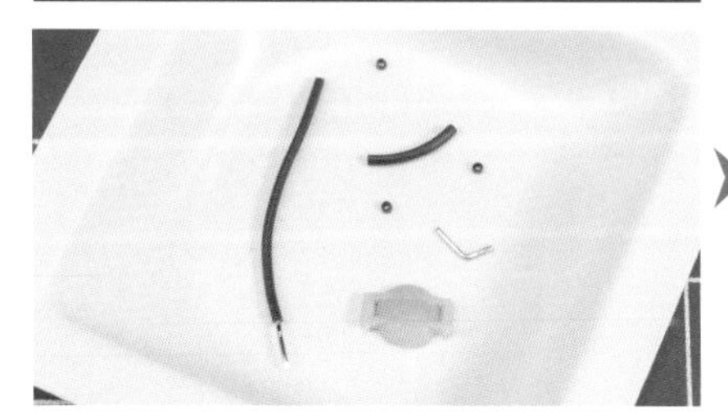

燃料注入口キャップは、径が適した金属線(ケーブルワイヤー)を使って作製した。

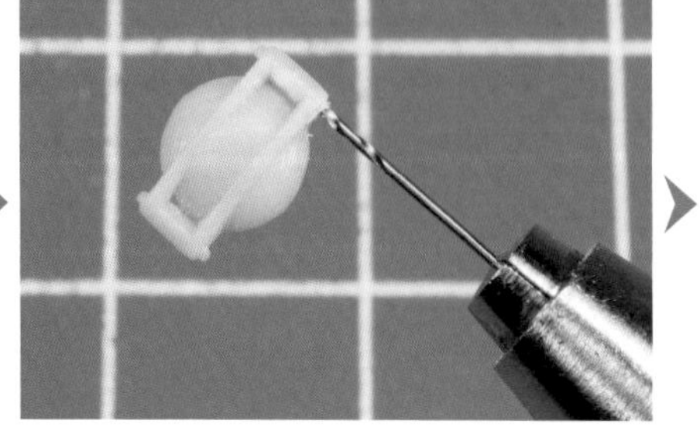

金属線を差し込む箇所に0.3mm径のドリルを使って、穴を開ける。

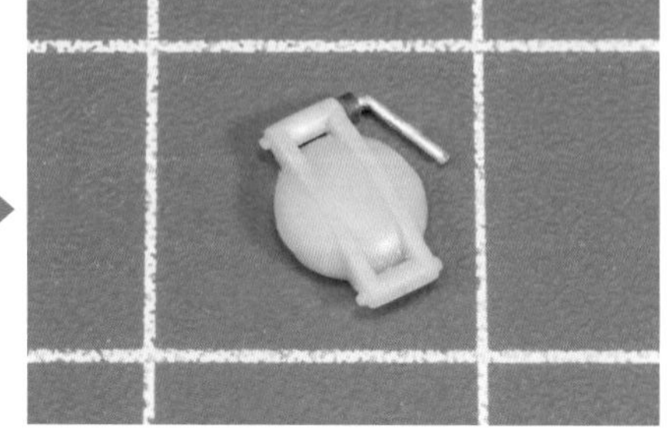

L型に加工した金属線を穴に差し込み、接着した。

〔自作パーツ2〕の作り方

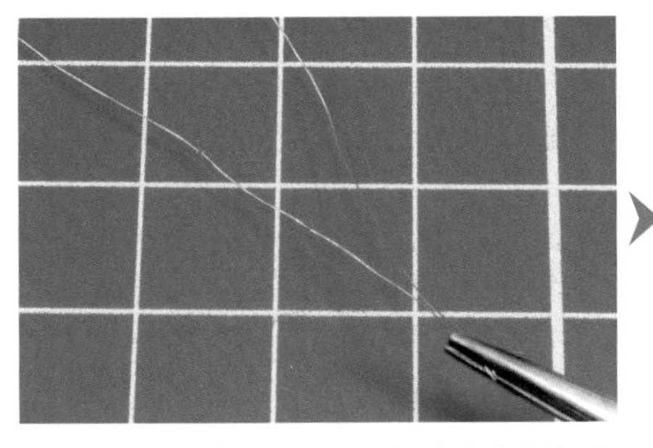
燃料注入口キャプのチェーンは2本の極細金属線で作製する。

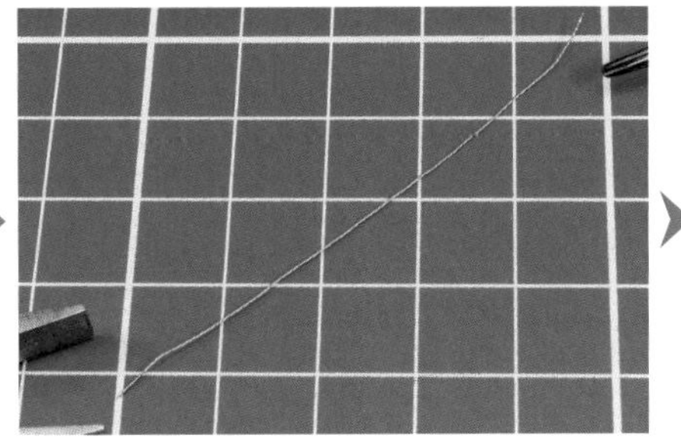
2本の金属線の両端をニッパーとピンセットで挟み、捻って1本にする。

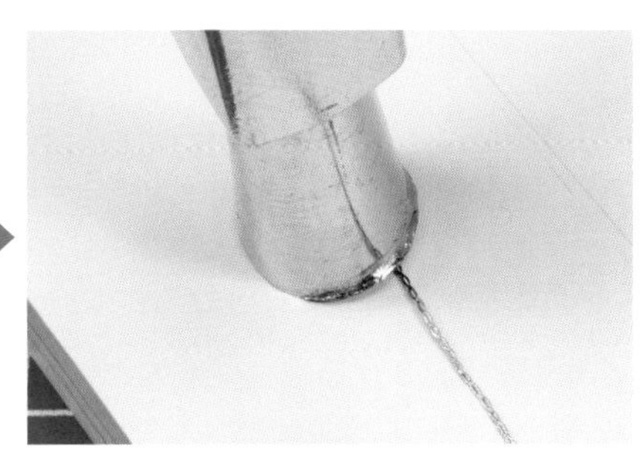
硬い台座の上に金属線を置き、ハンマーで叩いていくと、チェーン状になるように加工することができる。

〔自作パーツ3〕の作り方

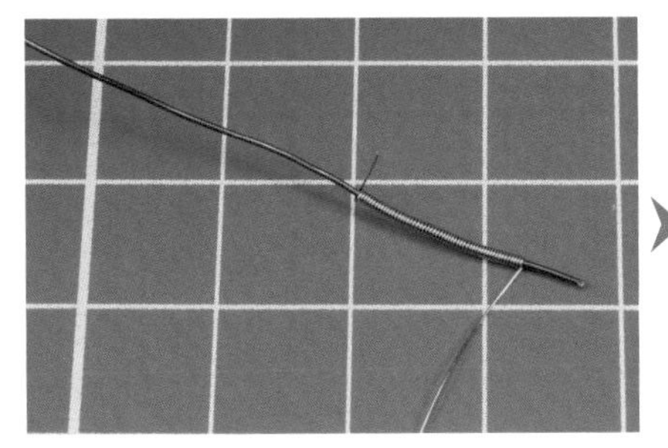
操縦席ハッチのスプリングを作製。まず、太めの銅線を芯にしてその周囲に極細の銅線を巻き付けていく。

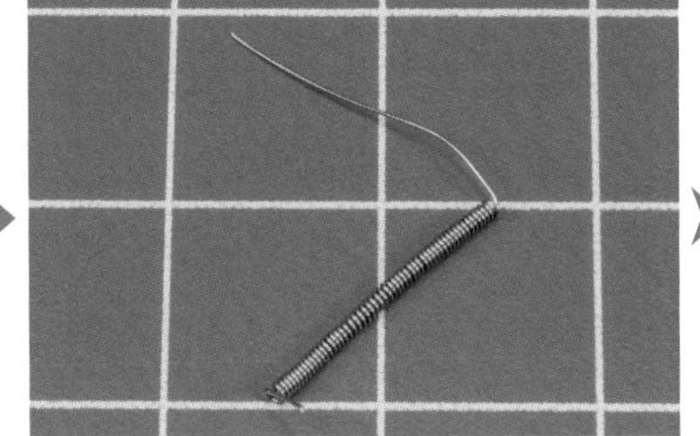
芯を抜くと、スプリング状に巻かれた銅線ができ上がる。ある程度長めに作っておくと良い。

特定の長さでカットし、その両端を水平に折り曲げれば、完成。

1-5 装甲板の表面仕上げ

AFV模型をリアルに見せるにはディテールの工作の他に装甲板の質感表現も有効な手段である。粗い表面の鋳造装甲、凹凸がある溶接跡や装甲板切断面など、特徴ある車体各部の質感表現方法を解説する。

《 鋳造装甲の表現 》

パテを使った表現方法

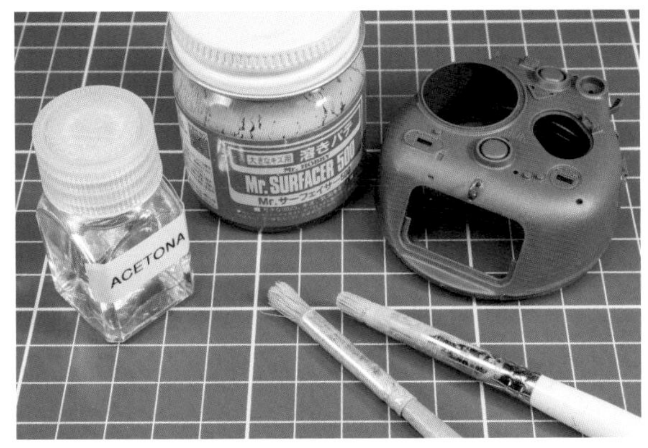

タミヤ1/35 M4シャーマンの鋳造砲塔を例に解説。GSIクレオスのMr.サーフェイサー500とアセトン、使い古した太筆を用意。他の製品、例えばタミヤのベーシックパテ、うすめ液を使用しても良い。

Mr.サーフェイサー500(あるいはベーシックパテ)をアセトン(あるいはうすめ液)で溶いたものを砲塔の表面に少しずつ薄く塗布していく。

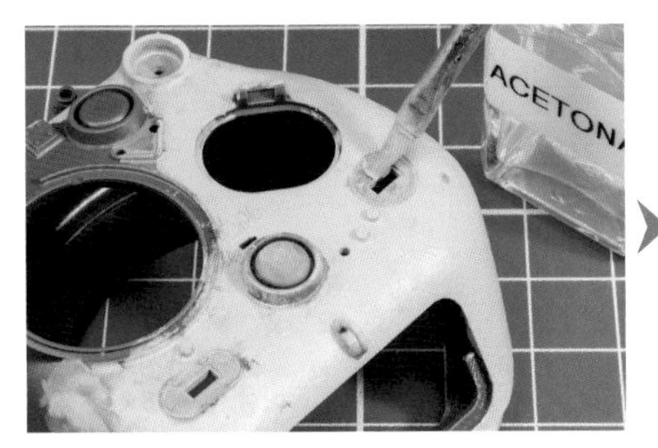

ペリスコープ基部など鋳造表現が不要な箇所についたサーフェイサーはアセトン(うすめ液)で除去すれば問題ない。

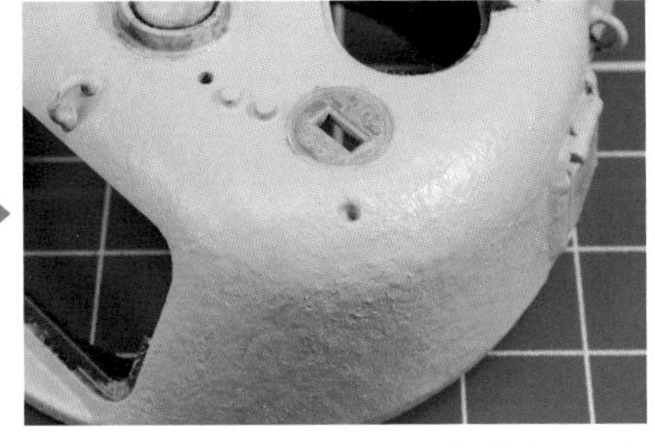
薄く塗布したら、一旦乾燥させ、また薄く塗布していくという作業を何回か行ない、鋳造らしい質感を出していく。

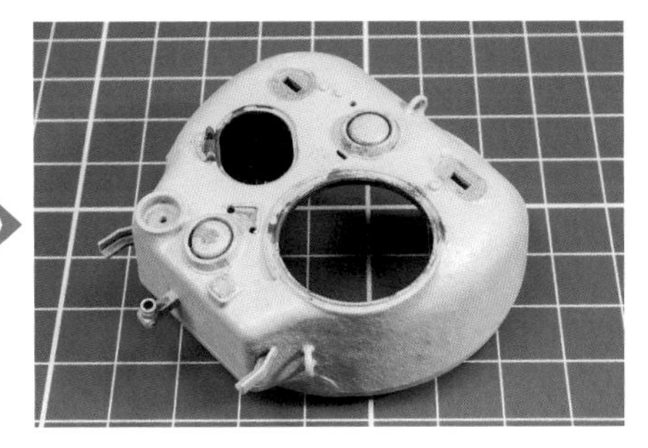
作業を終えたM4の砲塔。サーフェイサー(パテ)の塗布は、一度に全面に施すのでなく、右半分、左半分などに分けて施工していこう。

接着剤を使った表現方法

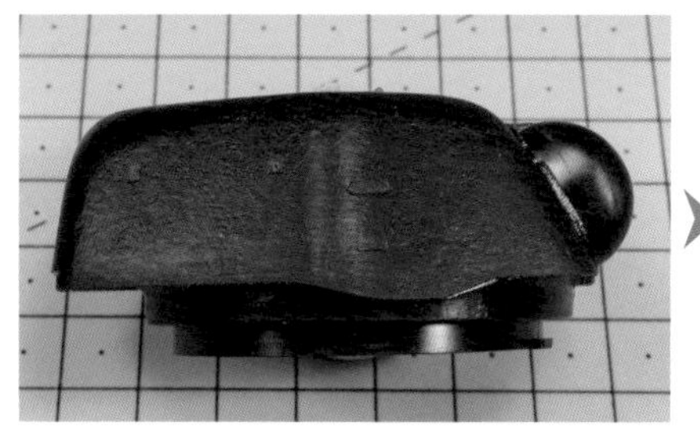

タミヤ1/35　T-34の鋳造砲塔を例に解説。キットにはすでに鋳造らしいモールドが施されているが、模型としての見映えをさらによくするために鋳造表現を強調させる。

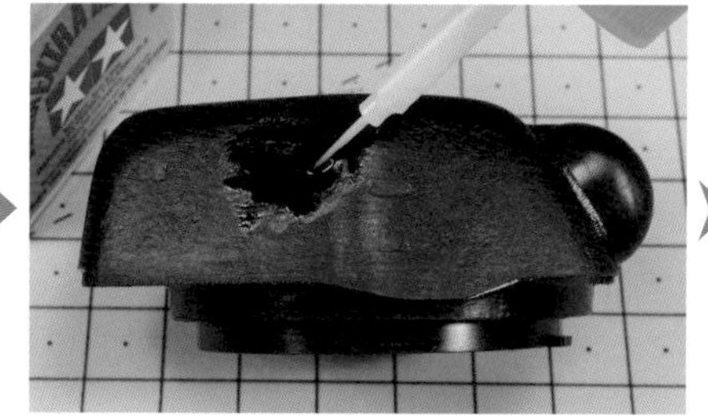

砲塔側面に流し込みタイプの接着剤を少し多めに塗っていく。

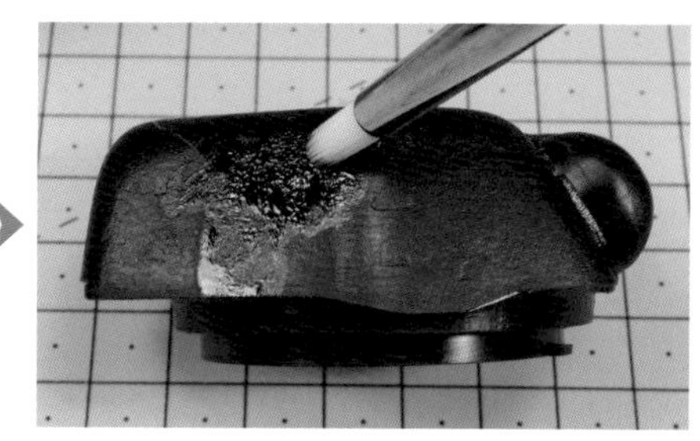

毛先が柔らかなステンシルブラシを使って、接着剤の塗布面を軽く叩き(タップし)、表面を粗していく。

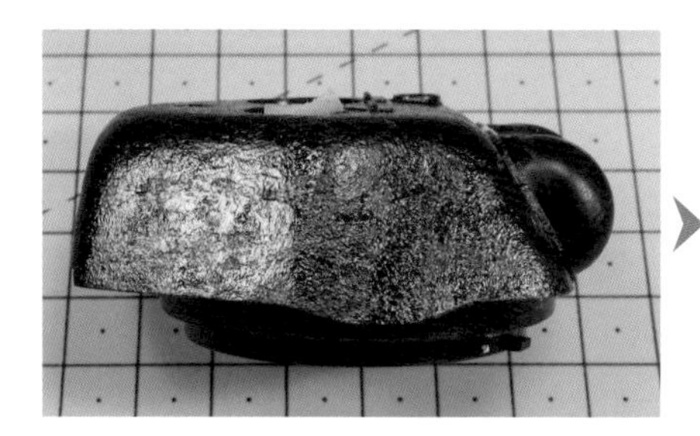

接着剤を乾かして、表面の仕上がりをチェック。表現不足の箇所があれば、リタッチする。

側面が完了したら、前／後面、さらに上面(鋳造ではない箇所はマスキングしておく)にも同様の処理を施す。

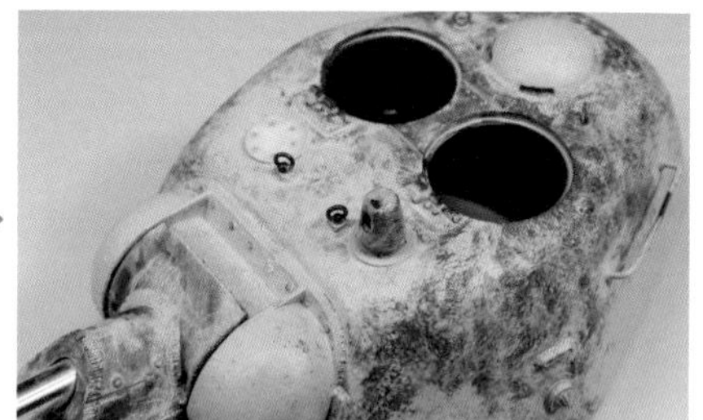

鋳造らしく仕上がっているかを確認するため、最後にうすめ液で希釈したパテをウォッシングした。

パーツ合わせ目の処理方法

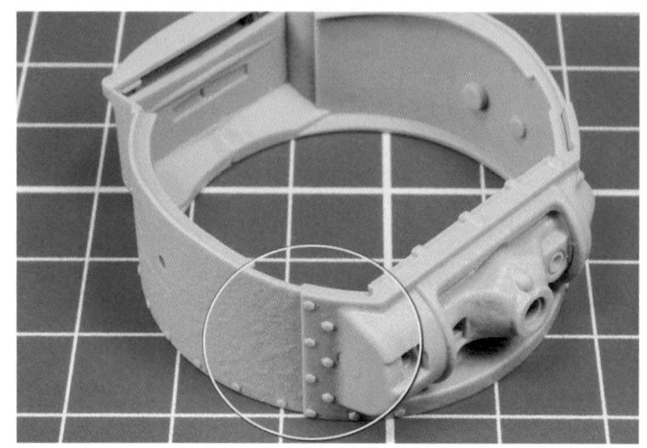

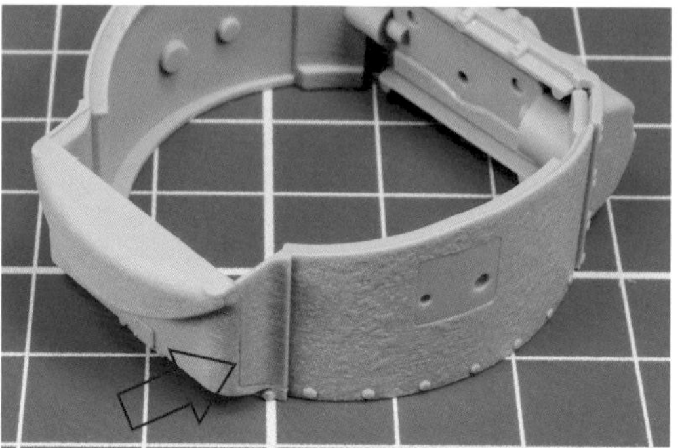

タミヤ1/35 バレンタインMk.II/IVの砲塔パーツを例に解説。砲塔前面と側面の接合部分（左写真の丸を記した箇所）はボルト結合なので、キットのままで問題ない。しかし、砲塔後部の側面にできてしまうパーツ接合部分（右写真の矢印の箇所）は、実車にはないので、修正しなければならない。

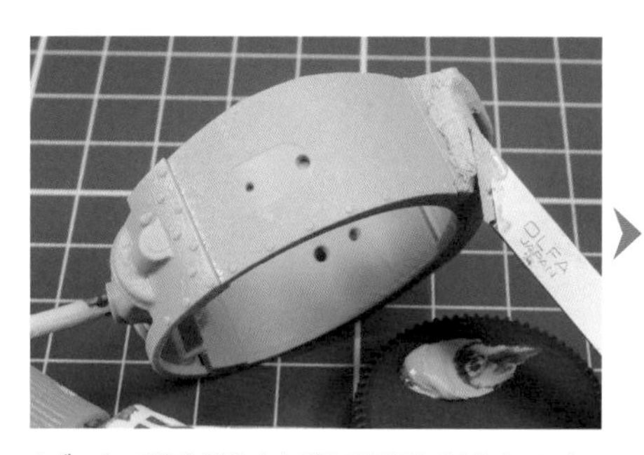

まず、パーツ接合部分およびその周囲にタミヤのベーシックパテを塗る。

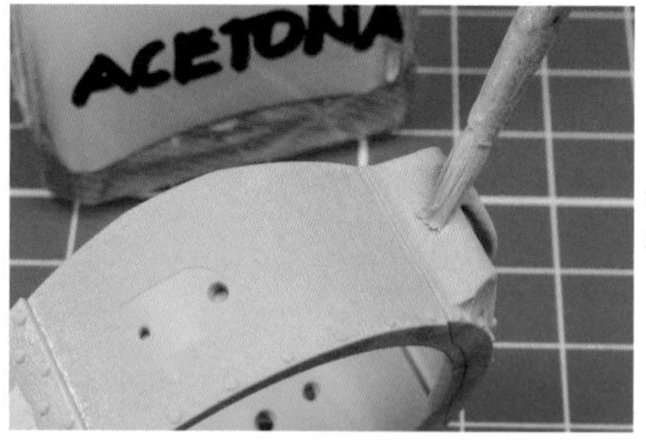

15～20分くらい経った後、うすめ液を浸した平筆を使って、パテを伸ばしていく。

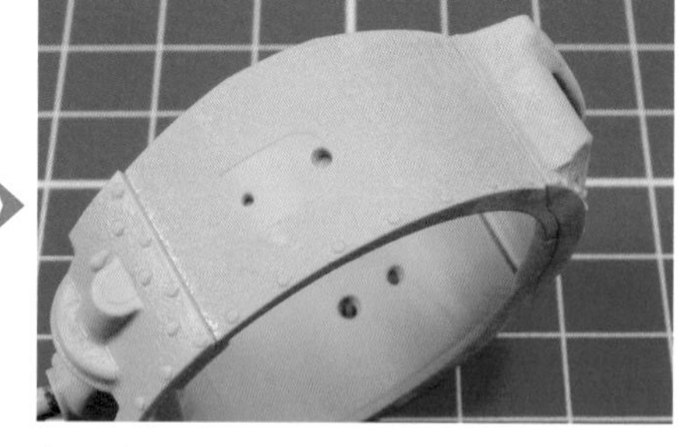

充分に乾燥させた後、接合部分が完全に分からなくなっていること、さらに鋳造肌になっていることを確認。

《 装甲板溶接跡の表現 》

戦車は、複数の装甲板で構成されているが、装甲板の接合部には溶接跡、装甲板の切断面には切除跡などが見られる。右の写真は、フランス、ソミュール戦車博物館のパンターＧ型だが、車体側面装甲板の後部にもそれらが確認できる。最近の模型ではそうしたところまでしっかりモールドが施されているものが多くなってきたが、旧キットではそうした表現は省略されているものが多く、また最近のキットでさえも成型の関係上、省略された箇所が見られることもある。

溶接跡や切断面の再現は、ナイフおよびカッターで簡単に行なうことが可能だ。ホットナイフ（あるいは写真のような代用品）があればさらに良い。

溶接跡を表現したい箇所にナイフで刻み（ギザギザ）をつけていく。ホットナイフを使用する際は、彫り過ぎないように注意すること。

ペーパーやナイロンたわしなどで軽く擦り、削り跡のエッジを抑える。

さらに流し込みタイプの接着剤を塗り、削り跡を滑らかにする。

《 その他の溶接跡の表現 》

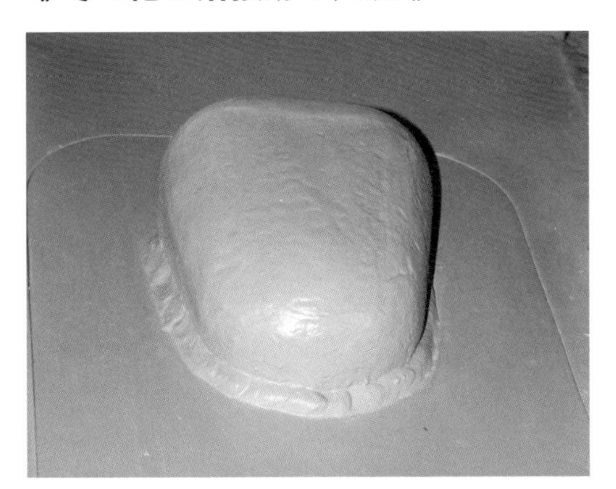

装甲板の接合部分のみならず、後付けされた箇所にも溶接跡がしっかりと残っている。写真は、ゴロソ装甲車両博物館に展示されているⅣ号戦車H型の車体前部上面に溶接留めされた通気口装甲カバー。

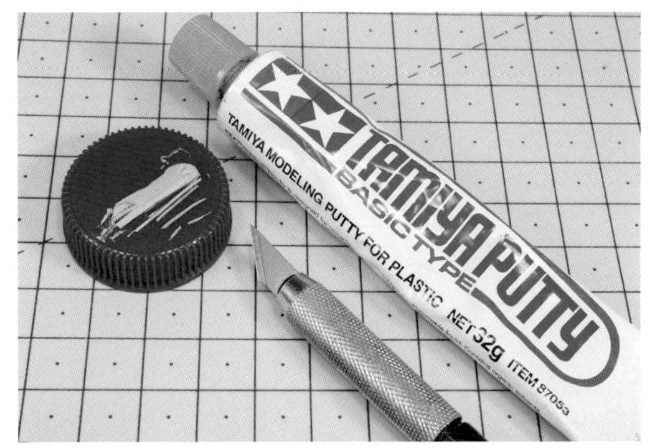

ここでは、カッターとタミヤのベーシックパテなどを使って、作業を行なう。

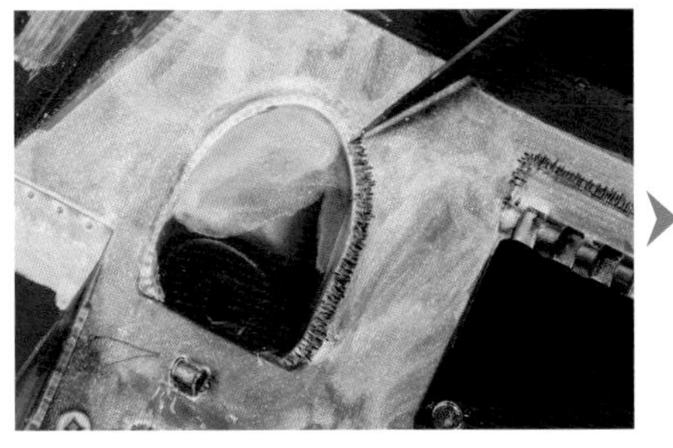

タミヤ1/35 T-34の車体前面機銃マウントの溶接跡をさらにリアルに見せる。まず、ナイフ（あるいはホットナイフ）で溶接跡に刻みを入れていく。

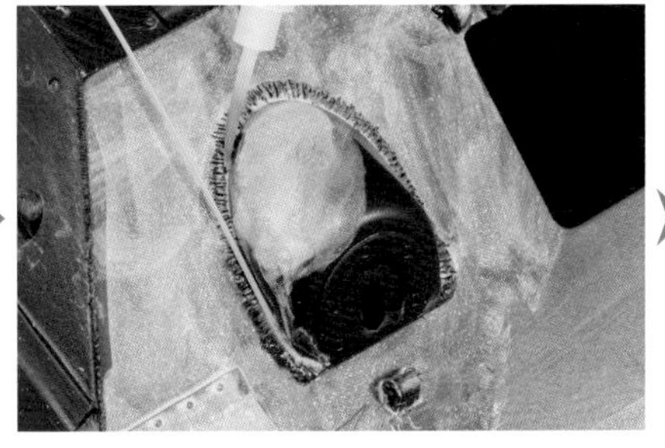

さらにオーバーラップした溶接部分を再現するために、流し込みタイプの接着剤で伸ばしランナーを接着する。

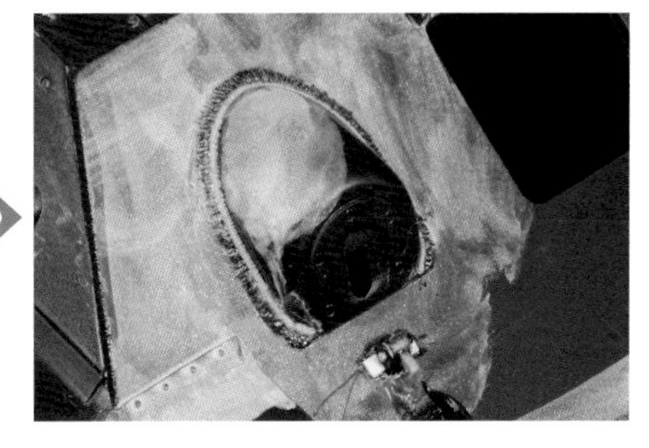

伸ばしランナー部分にもカッターで刻みをつけた後、溶接跡部分に流し込み接着剤を塗り、エッジを抑え滑らかにした。

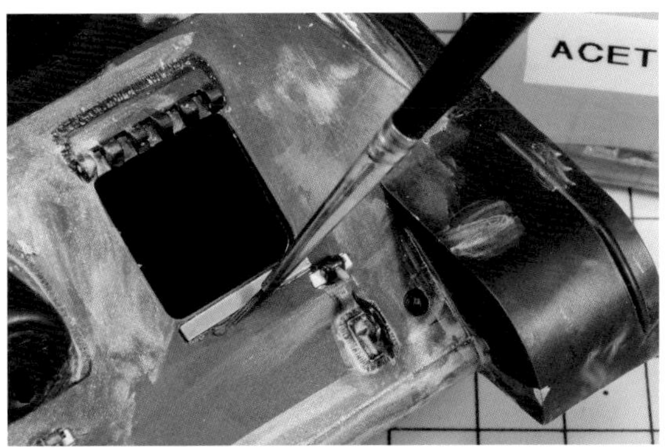

タミヤ 1/35のT-34は、操縦手ハッチ下の跳弾板が省略されているので、プラ板で追加。

跳弾板の溶接跡は、タミヤのベーシックパテを使って再現する。ナイフを使って、パテを細い帯状に取り、跳弾板の下部に塗布。アセトン（またはうすめ液）を塗って密着させる。

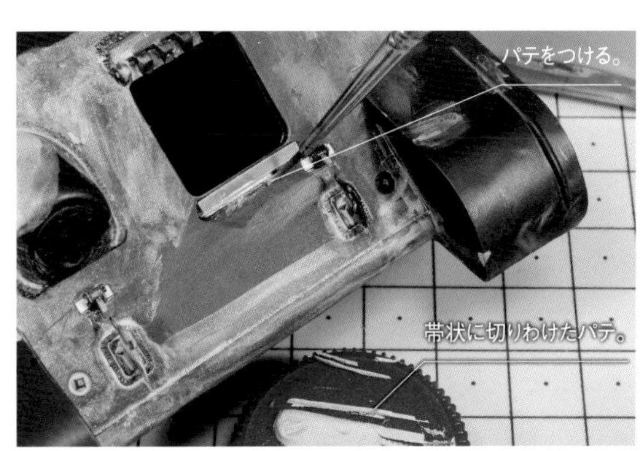

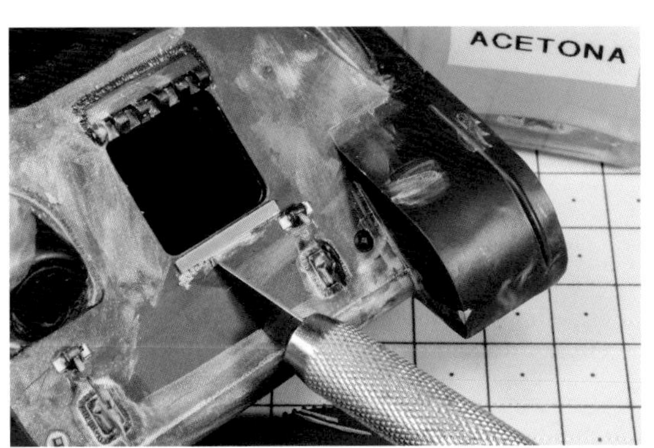

カッターでパテに刻みを軽く入れていく。

溶接跡にアセトンを塗り、エッジを滑らかにして仕上げる。

《 英文字および数字のモールドを再現 》

戦車や装甲車両の鋳造パーツの一部には、製造所マークや品番、シリアルナンバーなどを示すアルファベットや数字のモールドが見られる。そうしたディテールも再現したい。写真は、ゴロソ装甲車両博物館に展示されたIV号戦車H型のサスペンション基部にモールドされた番号。

市販の専用デカールを使って再現

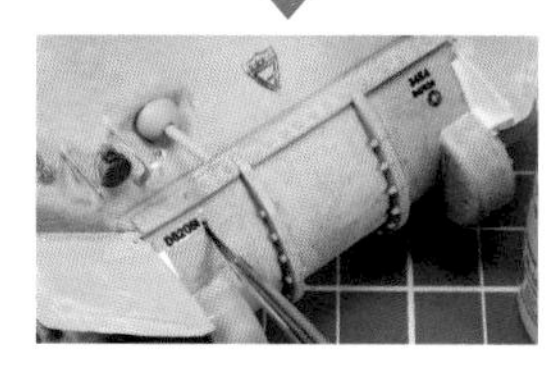

アーチャー社の『ARCHER FINE TRANSFERS』(品番AR88007)を使ってM4シャーマンのデファレンシャルカバーのモールドを再現。この製品は、1/35、1/48、1/72の鋳造マークやナンバーがエンボス(立体、浮き彫り)加工されたデカールシートである。

使い方は通常のデカールと変わらない。使用するデカールを切り出し、デカール軟化・定着剤を使って模型表面に貼り付ける。

ランナーのモールドを流用する

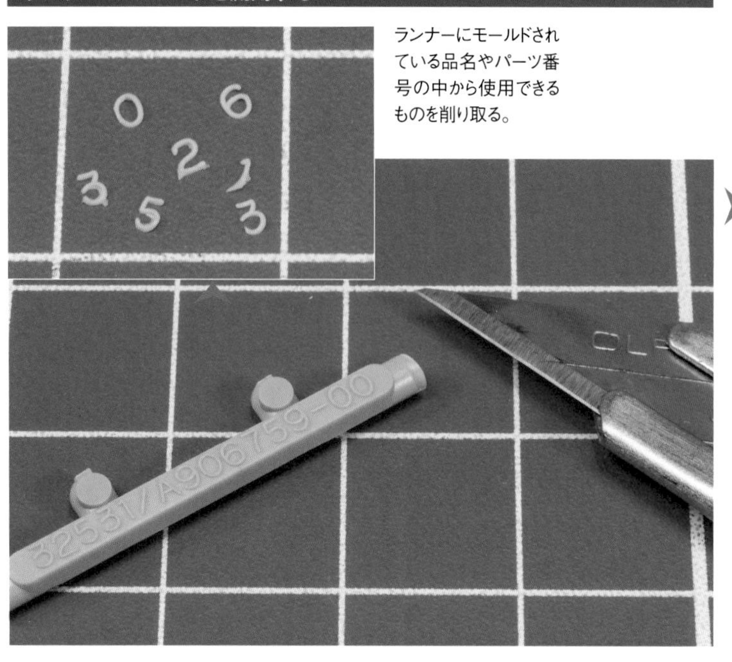

ランナーにモールドされている品名やパーツ番号の中から使用できるものを削り取る。

モールドを再現したい箇所(作例はM4の砲塔側面)にランナーから削り出した番号を接着剤を使って接着する。

うすめ液で希釈したタミヤのベーシックパテを薄く塗り、砲塔側面と番号の隙間を埋め、完全に一体化させる。

他のパーツを使ってモールドを複製

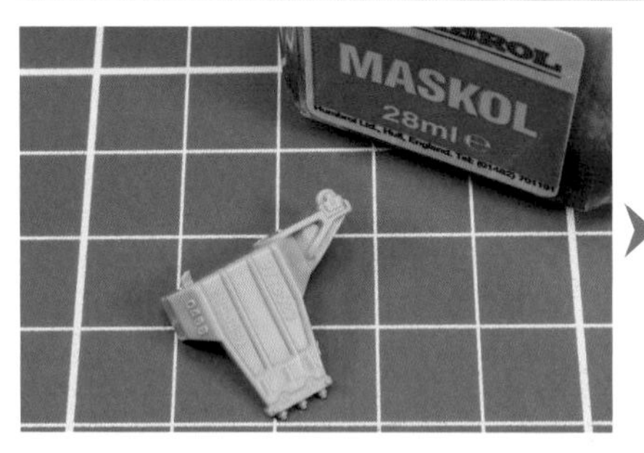

モールドが施された他社製品(アカデミー社製)のパーツを使って、M4のサスペンションのモールドを複製する。

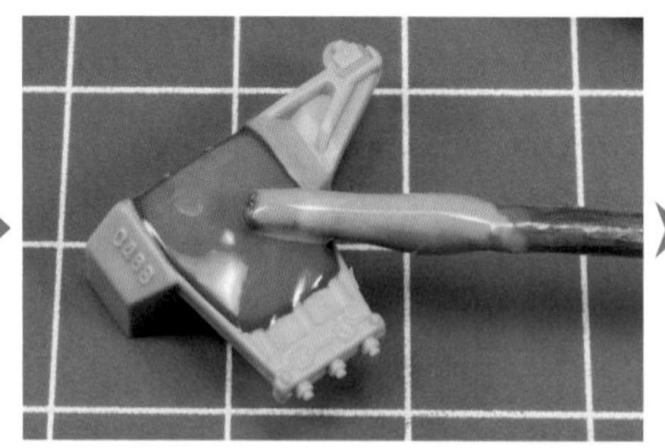

ハンブロールのマスキング剤「マスコール」(同種の他社製品でも良い)をモールドが施された箇所に厚めに塗布する。

マスキング剤が完全に乾いたら、パーツから剥がし取る。番号が欠けていないかをチェック。

マスキング剤で作った型にGSIクレオスのMr.サーフェイサー500(他社製品でもOK)を薄く塗る(数字の周りは薄く)。

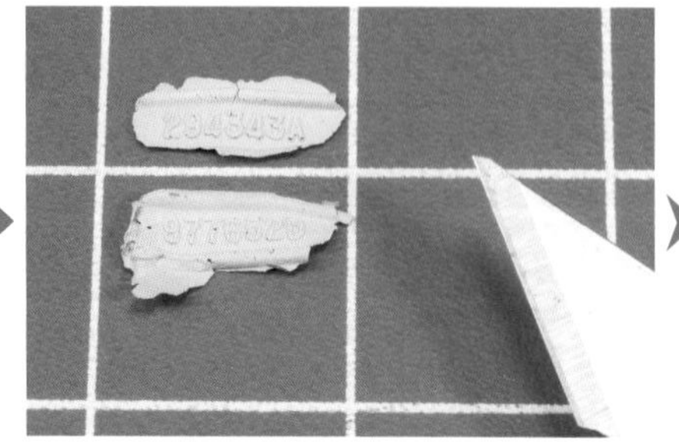

サーフェイサーが乾き、完全に固まったら、マスキング剤の型から剥がす。

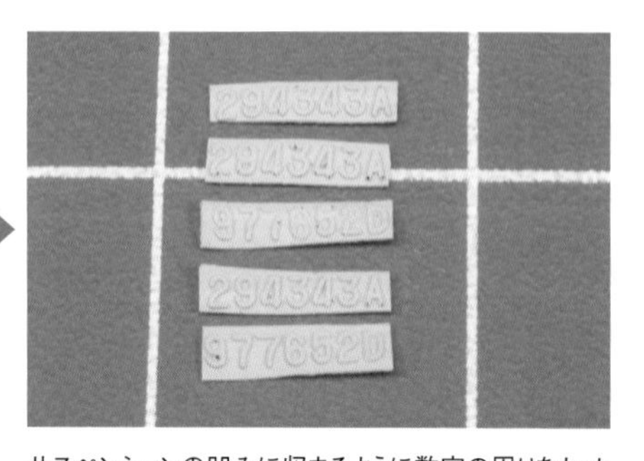

サスペンションの凹みに収まるように数字の周りをカットする。

モールドを貼り付ける箇所に流し込み接着剤を塗る。

型取った数字のモールドを所定の位置に貼り付ける。

うすめ液で希釈したタミヤのベーシックパテを薄く塗り、数字のモールドを一体化させる。

《 ツィンメリットコーティングを再現する 》

第二次大戦中期～後期頃のドイツ戦車を製作する際に面倒な作業の一つが、砲塔や車体に施された対吸着地雷用のツィンメリットコーティングではないだろうか。ツィンメリットコーティングには様々な塗布パターンがあり、標準的な横縞模様、III号突撃砲に見られるワッフルパターン、そして写真のパンターA型(ソミュール戦車博物館展示車)のようなパターンなどがある。模型でツィンメリットコーティングを再現する方法は色々あるが、ここでは割と簡単な2つの方法を紹介する。

市販のシートを使用する

もっとも簡単な方法は、ツィンメリットコーティングのモールドが施されたシートを使うことだ。レジン製やエッチング製、さらにステッカー式など多種多様な製品が各メーカーから発売されている。作例は、アタック社のレジン製『1/35 パンター G型用ツィンメリットコーティング』を使って解説する。

まず、パーツの切り出しから。レジン製シートなのでカッターで簡単に切り取ることができる。スチール定規などを併用するときれいにカットできる。

レジン製なので、接着には瞬間接着剤を用いるが、硬化時間が遅いジェルタイプの使用をおすすめする。

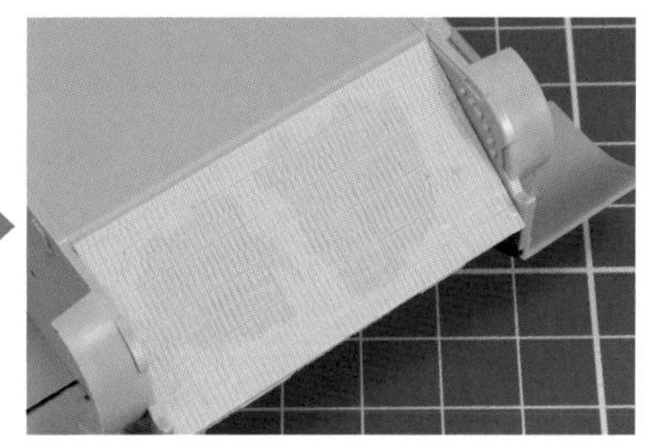

パーツの接着面積が広いので、1回で所定位置に合わせるのは難しい。硬化時間が遅いタイプなら、パーツをずらして位置決めすることが可能だ。

レジン製パーツを接着した後、プラパーツとの間にうすめ液で希釈したタミヤのベーシックパテを塗り、隙間が生じないようにする。

タミヤ1/35 パンター G型にレジン製ツィンメリットコーティングを貼り付けた状態。シートの合わせ目やエッチングパーツ表面のコーティングはベーシックパテを使っている。

エポキシパテを使って再現する

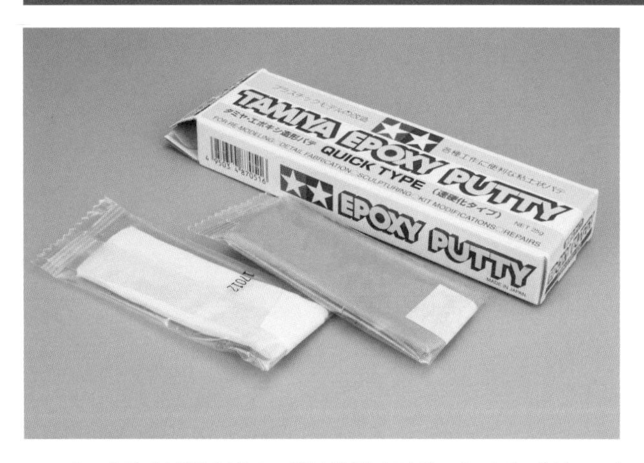

ここでは、入手が容易なタミヤのエポキシ造形パテを使っているが、他社のエポキシパテでも構わない。

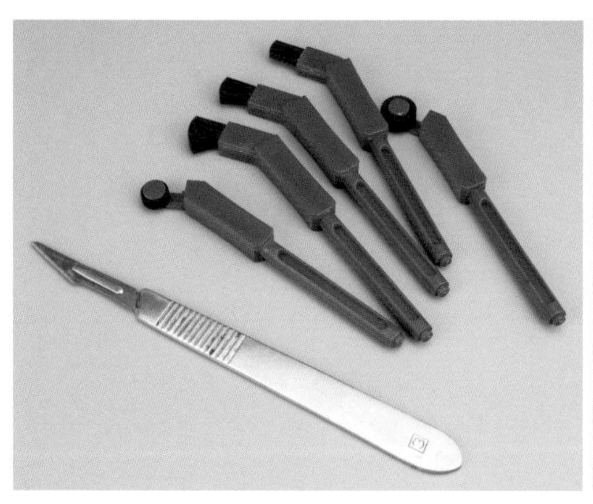

ツィンメリットコーティングを再現できる工具が数社から発売されている。写真は、モデルカステンの『ツィンメリットコーティングローラー＆スタンプ５本セット』。

まずは白と黄色の２つのパテを同量切り取り、充分に練り合わせる。

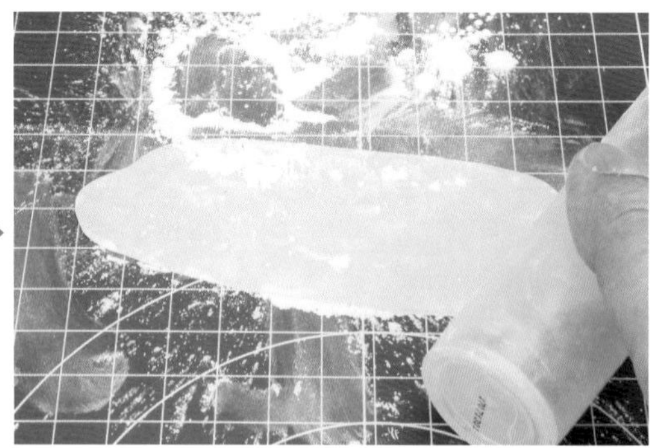

円筒容器を使って、パテをできる限り薄く伸ばしていく。その際、タルカムパウダーを作業マットとパテの表面に振りながら行なうと、マットや容器にパテがくっつくのを防ぐことができる。

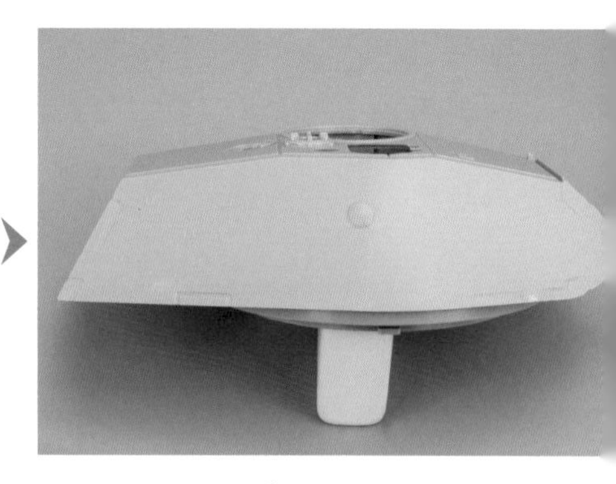

ツィンメリットコーティングを再現するドラゴン1/35ティーガーIIポルシェ 砲塔。

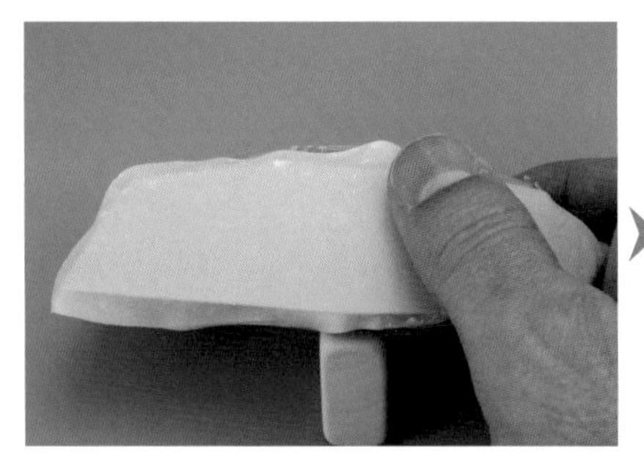

砲塔パーツにエポキシパテを貼りつけていく。ここでもパテを強く押し付けて伸ばしながら密着させる。

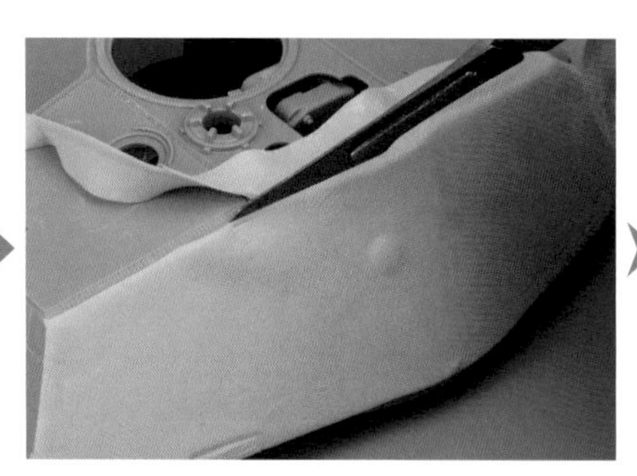

はみ出したパテを丁寧に取り除いていく。

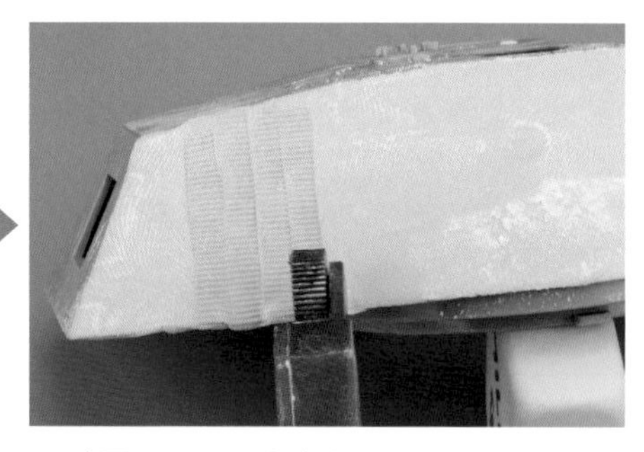

パテ表面にタルカムパウダーをつけ、ツィンメリット コーティングローラーで刻みをつけていく。

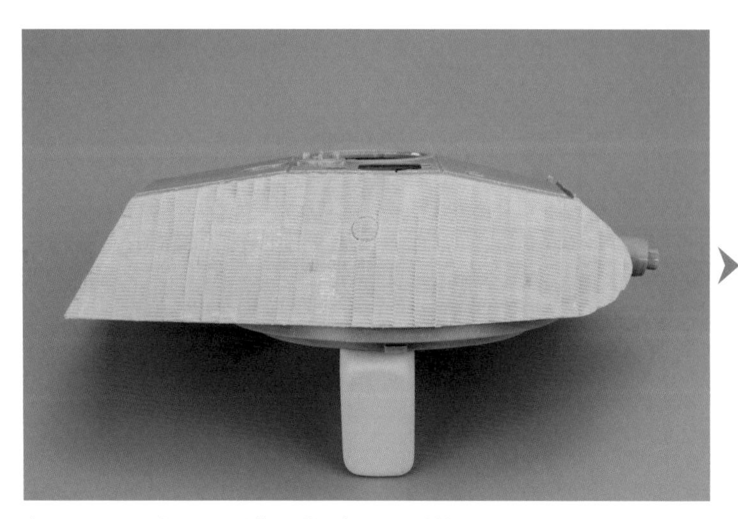

全面にコーティングのモールドを施した後、小ハッチや溶接ラインなどをつけ加える。

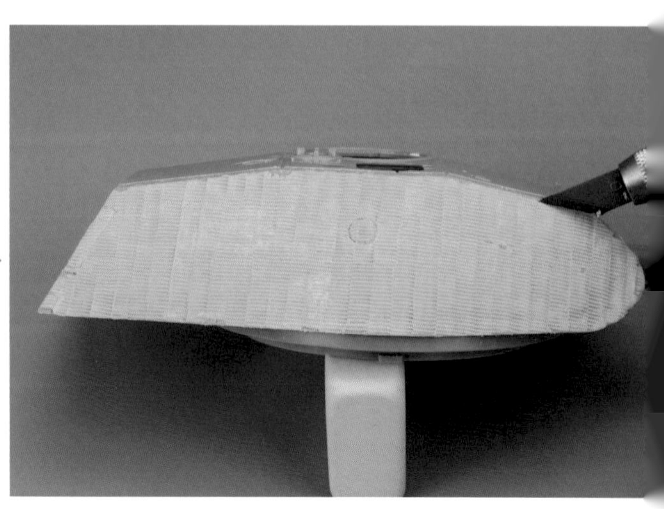

この方法だと、先の尖ったカッターなどでコーティングの一部が剥がれた状態も簡単に再現することができる。

1-6 レジン製パーツを使用する

モデラーの間では、プラスチック製キットやエッチングパーツと並びレジン製のキットやパーツセットなどもよく多用されている。レジン製の製品は多種多様で、ディテールアップから改造車両の製作、アクセサリーの追加など幅広く利用できる魅力的アイテムである。最近では、有名ブランドのプラスチック製キットにも改造パーツやアクセサリーパーツとしてレジ製パーツが同梱されていることも珍しくない。

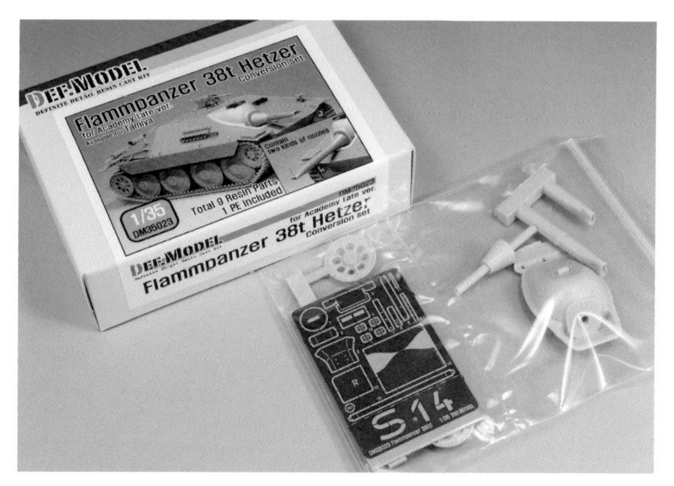

レジン製品のメーカーは、プラスチックモデルのメーカーよりもはるかに多い。写真は、デフモデルの1/35『ヘッツァー火炎放射戦車 改造パーツセット』である。このキットのパーツを例に簡単なレジン製パーツの使用方法を解説する。

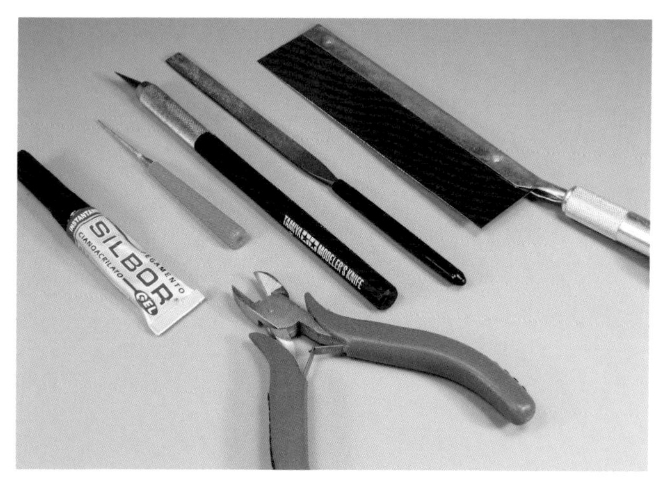

レジン製パーツも基本的にはプラパーツと同じ工具を使用するが、模型製作用のノコギリも用意しておくと良い。また、接着には瞬間接着剤を使用する。

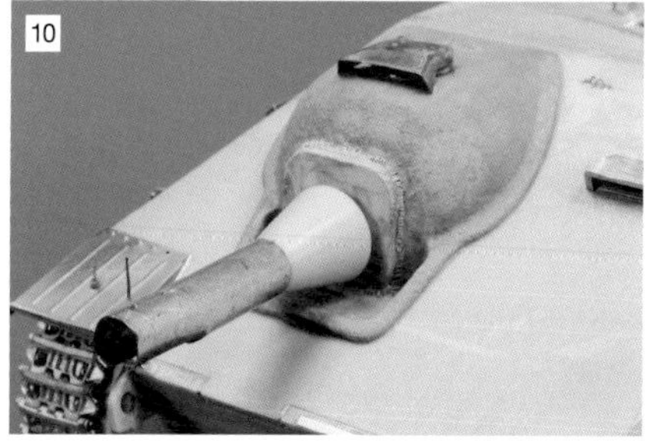

❶ニッパーを使って、ランナーからパーツを切り取る。プラパーツよりも破損しやすいので、極小・極細パーツの場合は慎重に。
❷パーツに残っているバリをカットする。
❸ヤスリあるいはペーパーをかけてバリ跡をきれいに整形する。
❹レジン製パーツは隙間にレジンが薄く残っていることがよくあるので、きれいに整形処理しておく。
❺取り付けには瞬間接着剤を使用。針や伸ばしランナーなどに取り、接着面につける。
❻内／外側パーツを接着した誘導輪。
❼大きなバリ取りには、模型製作用の薄刃ノコギリを使用。
❽パーツを損傷しないようにパーツの少し外側に刃を当て、カットする。
❾残ったバリは、ヤスリやペーパーで取り除く。
❿プラパーツへの接着にも瞬間接着剤を使う。

第２章

基本塗装

組み立てテクニックを習得したら、次は基本塗装だ。
ここでは、単色塗装から迷彩塗装、さらに明暗色による色調変化、
筋状の汚れ表現といったプレシェイデンイグなど、
ウェザリング作業の前段階における基本塗装のやり方を解説。
エアブラシや筆塗りでの塗装方法、塗装の修正、
デカールの貼り方およびマーキングの描き方についても解説する。

2-1　基本塗装の方法

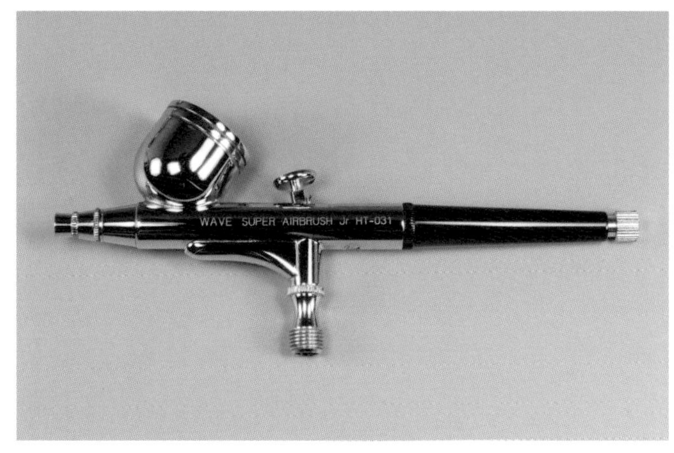

エアブラシ用のハンドピースは、様々なタイプがあるので、自身にあったものを選ぶこと。

基本塗装は、単色塗装、迷彩塗装様々だが、大抵の作業はエアブラシ（吹き付け塗装）で行なうのが一般的だ。単色塗装では、ベースとなる１色をただ塗るのではなく、明暗をつけてボリュームを出したり、退色や汚れによる色調変化が必要となる。また、迷彩やマーキングを再現するには、エアブラシのみならず、筆塗り、マスキングなど多彩な手法を用いる。

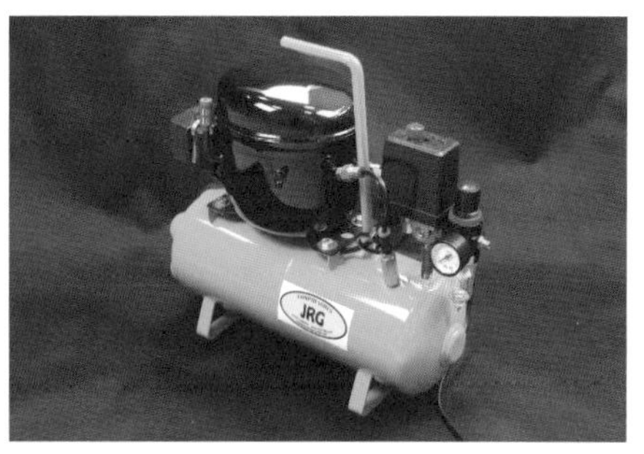

ハンドピースと共に用意しなければならないのが、コンプレッサーだ。これもまた入門用から高級機種まで多種多様なものがある。

《 塗装前の準備 》

塗装前に模型の表面のホコリや削りカスなどのゴミを取り除き、さらに塗料を弾く離型剤や指紋などの油分が残っていることがあるので、それらもきれいに洗い流しておくこと。

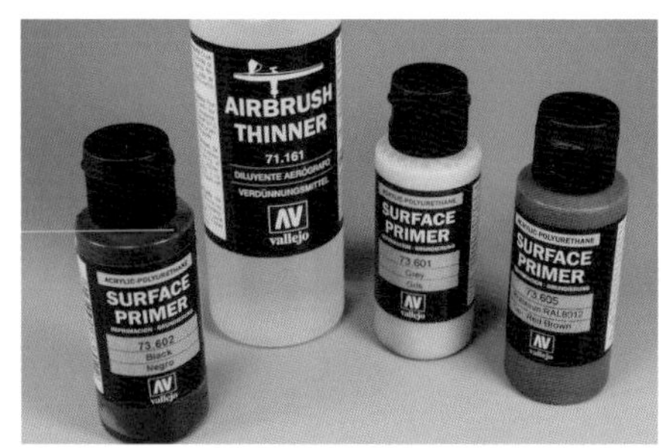

塗料を使用する前に下地としてプライマー、サーフェイサーの塗布は必要。写真はファレホ社の製品だが、タミヤやGSIクレオスなど各メーカーから多種多様なものが発売されているので、それらの中から入手が容易なもの、目的に合ったものを使用すれば良い。

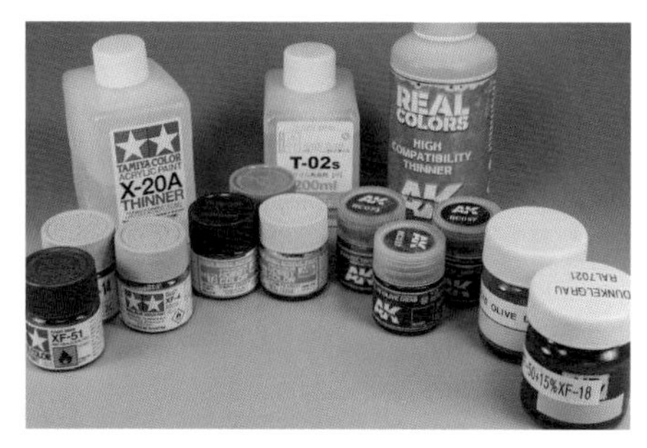

塗料もアクリル系、エナメル系、水性などが各メーカーから発売されている。いずれも模型製作では多用されており、作業内容に応じそれらを使い分ける。塗料および溶剤も各メーカーから多数発売されているので、入手可能なものを使用すればOK。

《 サーフェイサーを塗布する 》

サーフェイサーは２回に分けて塗布していく。最初はシンナーで希釈したサーフェイサー（サーフェイサーとシンナーの割合は20%＋80%）を使用。

模型から7～8cmくらい離したところからエアブラシを使って、サーフェイサーを薄く吹く。

１回目が乾いてから、もう一度薄く吹いていく。この段階で、模型表面のゴミやホコリが残っていないか、傷などの整形・処理忘れがないかをチェック。

次に前回よりも濃いもの（サーフェイサーとシンナーを50%＋50%で混合）を用意し、エアブラシで、薄く2～3回塗布していく。
あくまで下地なので、ディテールやモールドが潰れないように薄く塗ること。

《 単色塗装のやり方 》

作例：M8装甲車のオリーブドラブ単色塗装

〔オリーブドラブの明暗色調のつけ方〕

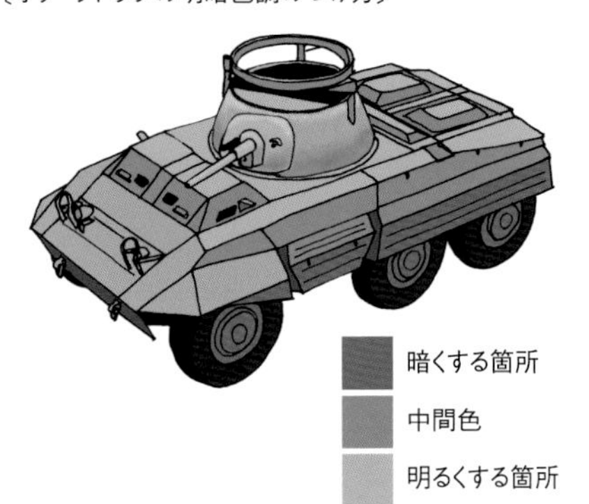

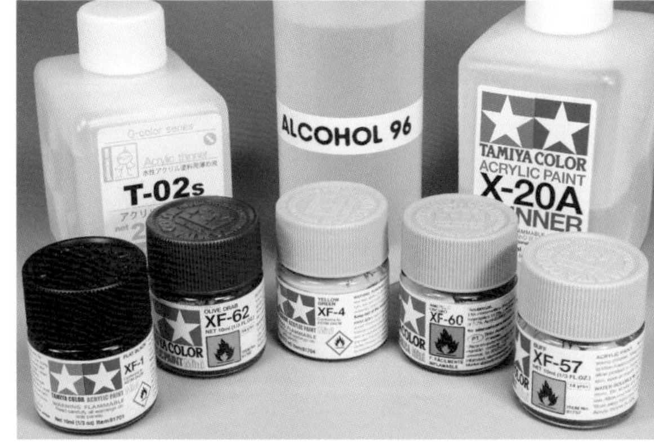

M8の塗装のために用意したタミヤのアクリル塗料。もちろん、GSIクレオスMr.カラーなど他社製品でも構わない。

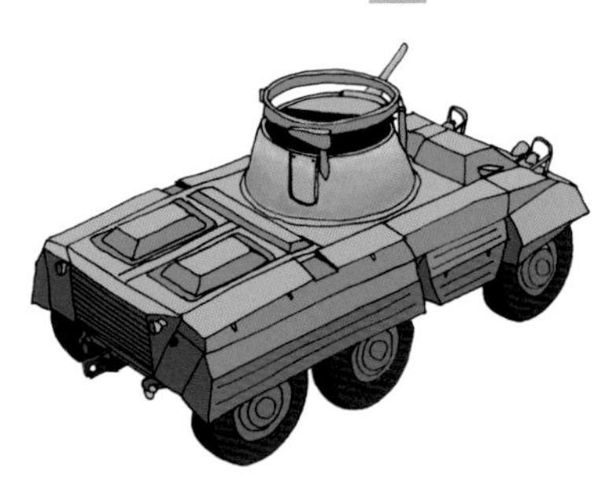

まず最初にM8装甲車を作例に単色塗装の方法を解説。

基本色のオリーブドラブはタミヤのXF-62を使用。写真はビンから直接移したものだが、このままでは使用しない。

タミヤのX-20Aアクリル溶剤で、XF-62オリーブドラブを希釈して使用する。

ベースとなる色を塗布する

希釈したXF-62オリーブドラブをエアブラシで塗装。エアブラシは模型から8cm以上離して吹いている。

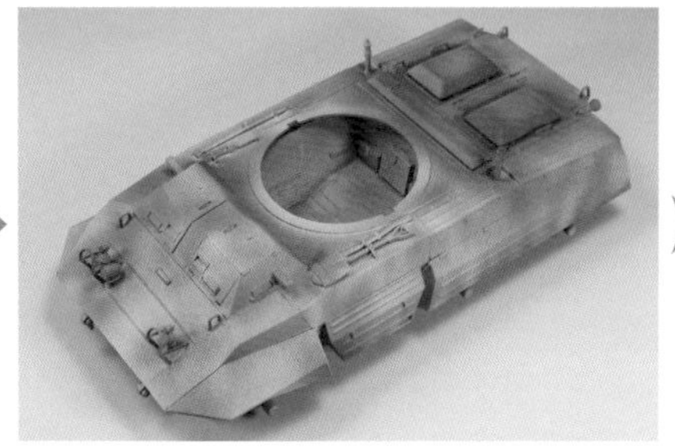

1回目の塗布が終わったところ。塗料溜まりができないように気をつけながら、薄く広く塗布した。

数回にわたって、XF-62オリーブドラブを吹き、ベースとなる色（もっとも暗い影色）を塗り終えた状態。スケールエフェクトにより実際よりも暗い色に見える。

ハイライトを入れる

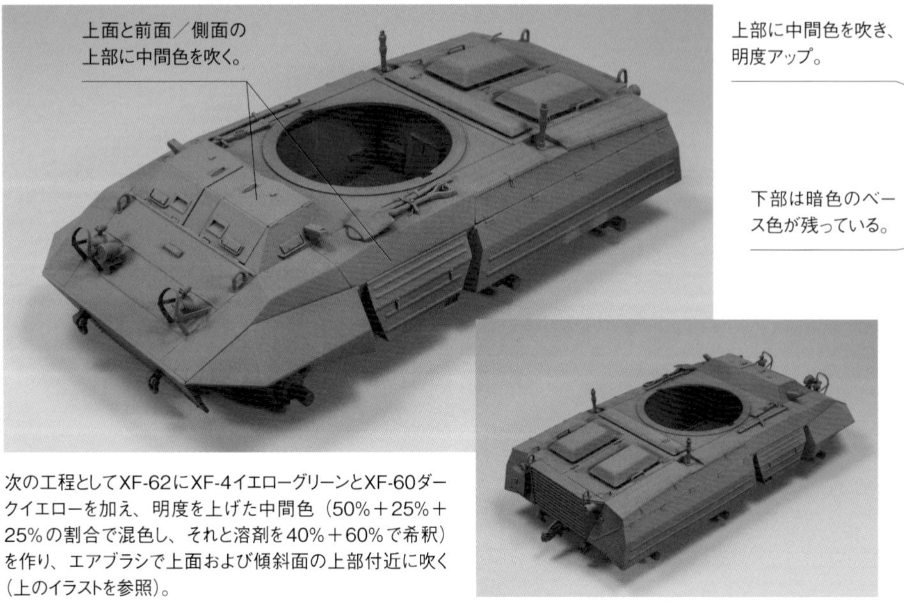

次の工程としてXF-62にXF-4イエローグリーンとXF-60ダークイエローを加え、明度を上げた中間色（50%＋25%＋25%の割合で混色し、それと溶剤を40%＋60%で希釈）を作り、エアブラシで上面および傾斜面の上部付近に吹く（上のイラストを参照）。

上部に中間色を吹き、明度アップ。

下部は暗色のベース色が残っている。

砲塔も車体と同様にベース色を塗装した後、中間色を吹いて明暗色調の変化をつける。

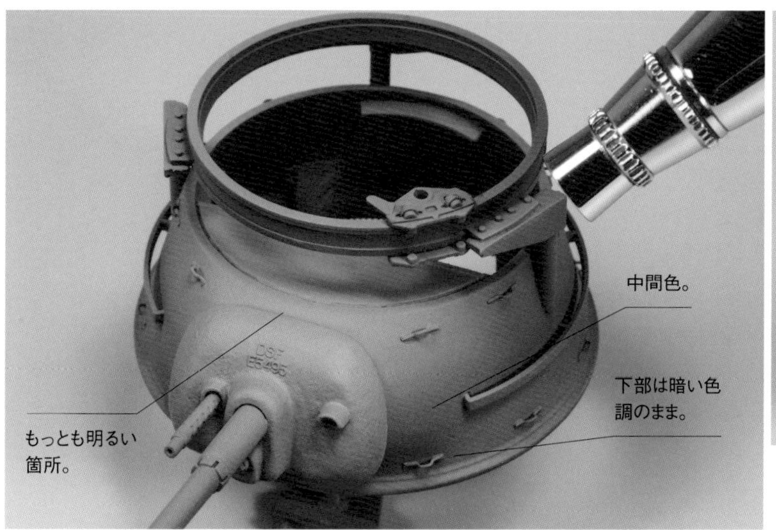

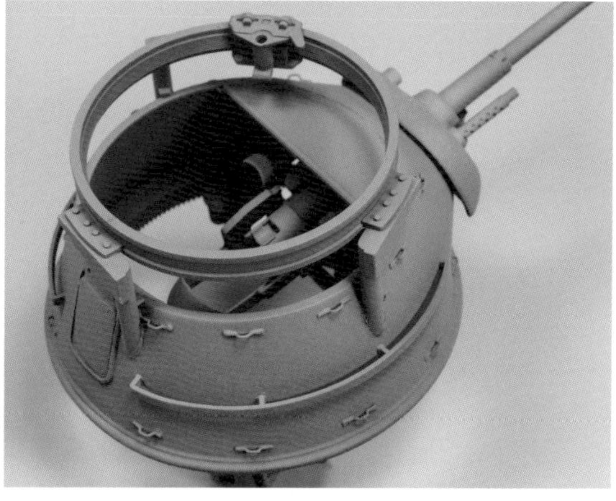

中間色を吹いた後、前工程で使用した塗料にさらにXF-60ダークイエローを加え、より明るく調色した色でハイライトをつける。各上面の中央と前面／側面の最上部を明るくしていく。

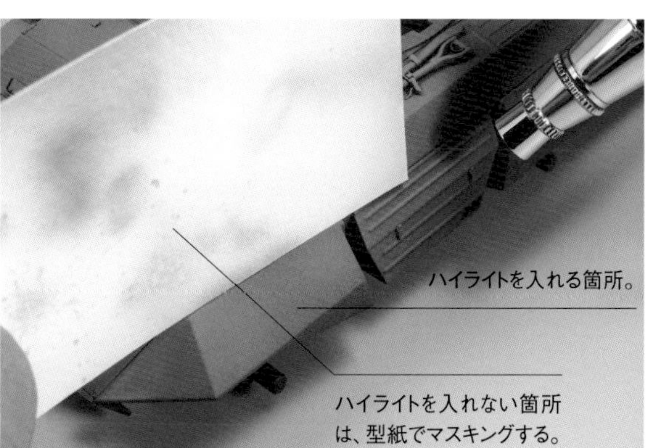

車体にもハイライトを入れるが、側面傾斜部は浅い傾斜部分のみに明色でハイライトを入れる。そのためにハイライトを入れない部分は型紙で覆って塗装する。

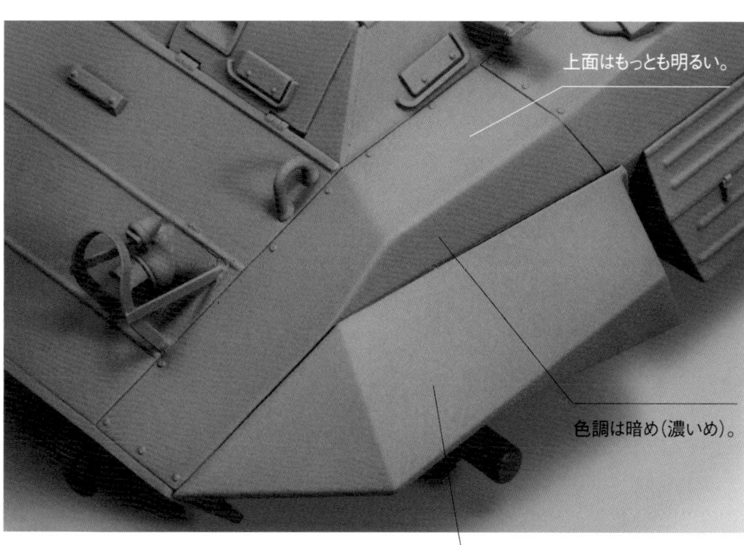

ここのパネルは、上部から下部にいくにつれ、うっすらと明色→暗色へとグラデーションがついている。

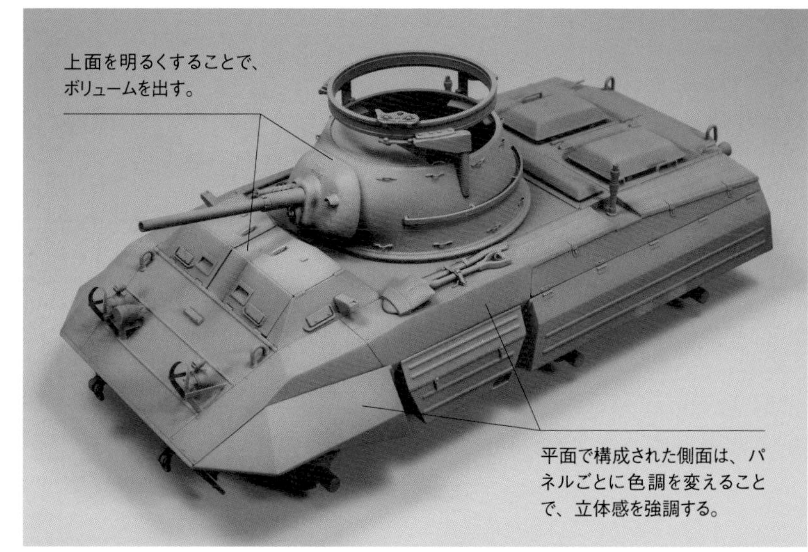

基本塗装を施したM8装甲車。上面と傾斜面の上部を明るくし、下部を暗くすることで、色調にボリュームを出すことができる。

エアブラシによる汚れ表現

エアブラシはかなり絞った細吹きで。

前工程の塗料にXF-60ダークイエローを加え、溶剤で希釈した塗料をエアブラシを使って斑状に吹き、車体上面にうっすらと付着した砂埃を表現する。

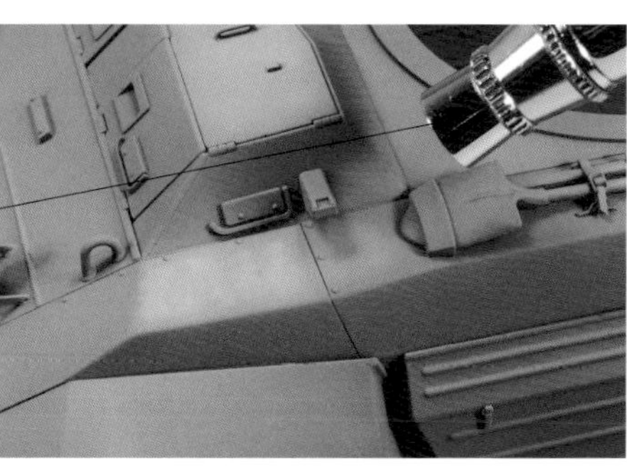

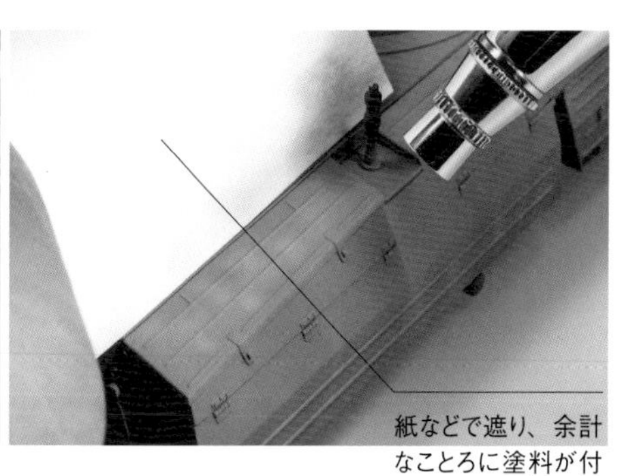

紙などで遮り、余計なことろに塗料が付着しないようにする。

前工程と同じ明度を上げた塗料を使って、車体前部や側面などに雨水で砂埃が流れ落ちた跡などを表現。エアブラシを薄く細吹きし、上から下に筋状の汚れ跡をつけていく。

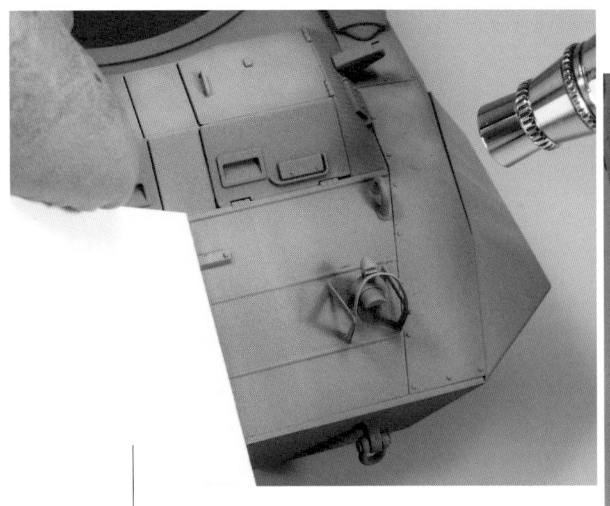

紙を当ててエアブラシを細吹きすれば、真っ直ぐに流れ落ちた感じを容易に再現できる。

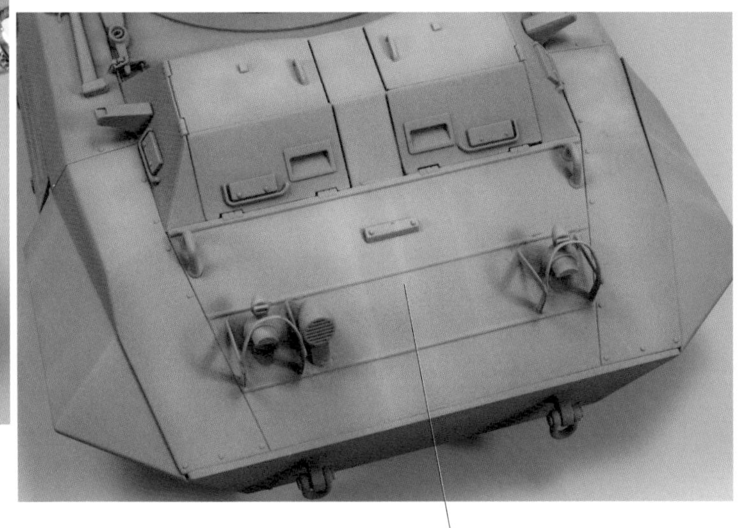

白っぽい縦筋が汚れを表現した箇所。

さらにタミヤアクリルのXF-1フラットブラックを90%希釈し、エアブラシで細吹きし、突起部(ヒンジ、固定金具)やパネルライン付近などから流れ落ちた黒ずんだ汚れの跡も前工程と同じ手法で表現していく。

砂埃が流れ落ちた跡。

黒ずんだ筋状の汚れ。

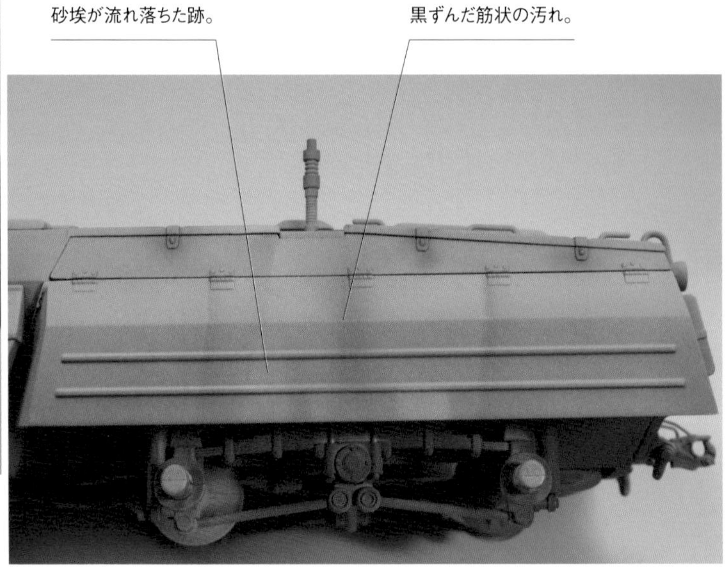

小フック(タイダウンフック)から流れ落ちた、黒ずんだ汚れ跡をつける。

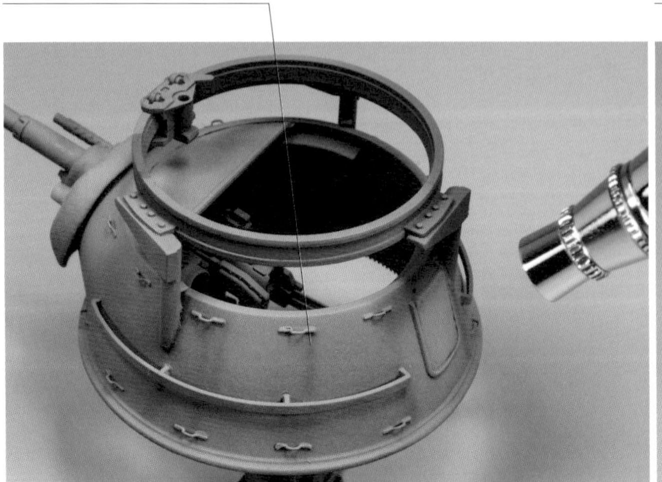

機銃架レールには機関架の跡をつけた。

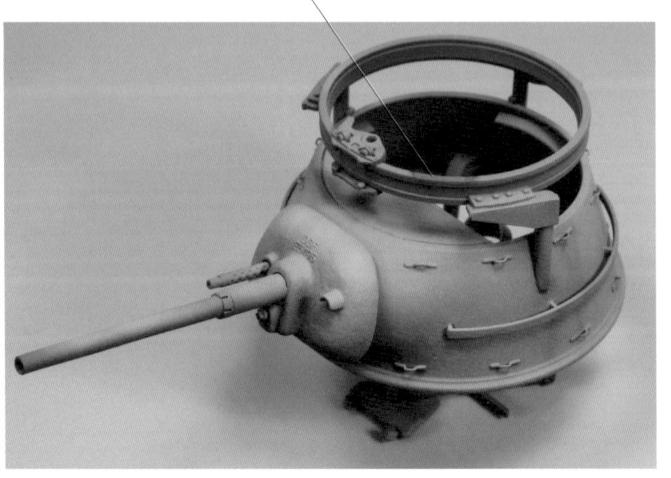

砲塔も車体と同じように筋状の汚れ跡を表現する。

アンテナ基部から流れ落ちた黒ずんだ汚れの跡を表現。

基本塗装を終えたM8装甲車

車体色は、第二次大戦アメリカ軍車両の標準色オリーブドラブとしている。単色塗装は単調になりがちなので、明暗の色調変化をしっかりと行なおう。上面と前部および側面の上部は明色で、車体下部は暗色、その間には中間色を用い、上から下にグラデーションをつけることで、全体的なボリューム感と凹凸を強調することができる。

凹凸などのディテールがなく、平坦な箇所は、特に色調が短調になりがちなので、汚しを加え変化をつける。

砲塔防盾の機銃口付近、車体前部の操縦室ハッチ付近に汚しを加えた。

車体前面は完成後、もっとも目につく箇所の一つなので、しっかりとシェイディグを行なっておきたい。

排気口周辺の煤汚れも基本塗装の段階で表現しておく。

明暗色による変化をつけることでボリューム感が増す。

各ディテールの突起物周辺にも汚しを加える。

黒い筋状の汚れは、フックやヒンジなどから流れ落ちたような感じで表現する。

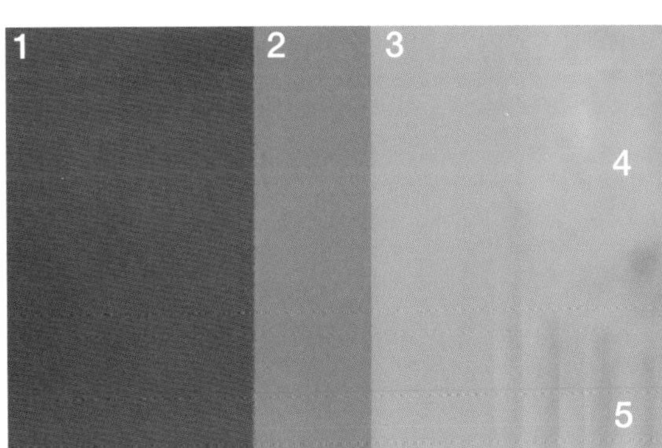

1：最初に塗布したベース色（もっとも暗い箇所）
XF-62オリーブドラブ
2：2番目に塗布した中間色
XF-62オリーブドラブ（50%）＋XF-60ダークイエロー（25%）＋XF-4イエローグリーン（25%）
3：もっとも明るいハイライト色
中間色＋XF-60ダークイエロー
4：砂埃の汚れ
ハイライト色＋XF-60ダークイエロー
5：黒ずんだ汚れ
XF-1フラットブラック（90%希釈）

その他の単色塗装例1：バレンタインMk.IV ソ連軍仕様

最初にエアブラシを用いて、ベース色となるタミヤアクリルのXF-62オリーブドラブ＋XF-59デザートイエローを混色したイギリス戦車色SCC2ブラウンを全体に塗布する。

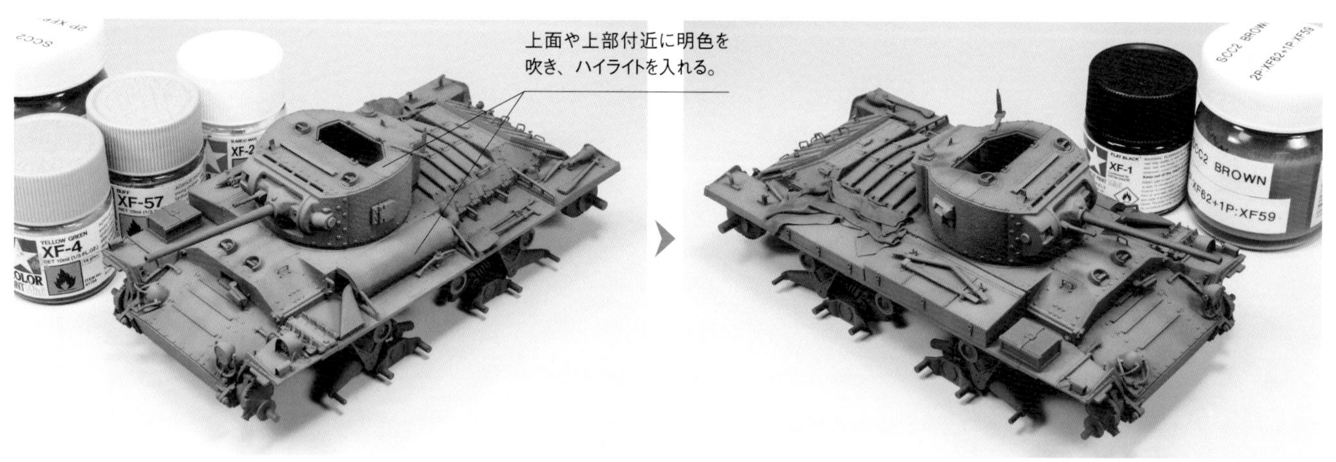

次にベース色にXF-57バフ、XF-4フラットイエロー、XF-2フラットホワイトを加えた明色を使って、上面や前面／側面の上部にハイライトを入れ、明暗の色調変化をつける。

ベース色に少量のXF-1フラットブラックを加えた色を突起物やディテールの周辺、パネルラインに薄く細吹きし、シェイディングを入れ、メリハリをつけた。

その他の単色塗装例2：パンターG型

ベース色を塗布した後、明るい中間色を上面と前面／側面の上部などに吹いた。

大戦後期のドイツ軍車両の基本色ドゥンケルゲルプの単色塗装にするため、ファレホの081タンクダークイエローを全体に塗布し、074レドームタンを上面と各面の上部に吹いた。

上面にさらに明色を吹き、ハイライトを強くする。

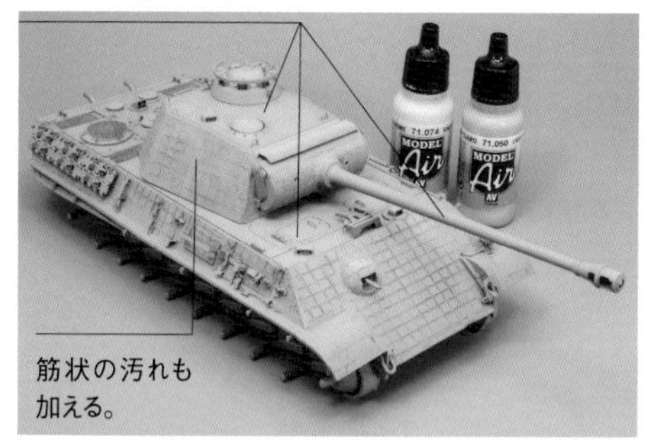

フェレホの074レドームタンに少量の050ライトグレーを加えた色でさらに部分的にハイライトを入れた。

ベース色として用いた081タンクダークイエローに微量の005ミディアムブルーと057ブラックを加えた色をディテールや突起物の周囲、パネルラインに薄く吹き、シェイディングを入れ、メリハリをつけた。

2-2 迷彩塗装の方法

《 エアブラシを用いた迷彩塗装 》

戦車および軍用車両は、単色塗装ばかりではなく、迷彩が施された車両も多いことはミリタリーモデラーなら周知のとおり。迷彩塗装と一口に言っても、その配色、塗装パターンは多種多様である。迷彩は、前線部隊において施されることが多く、部隊の活動場所や季節によって変わってくる。ここでは異なる迷彩パターンの再現方法を解説する。

作例：T-34のグリーン／ブラウン2色迷彩

ソ連T-34の2色迷彩を例に迷彩色の周囲をぼかした迷彩パターンの再現方法を解説。帯状および斑状のいわゆる“ぼかし迷彩”は、もっとも一般的な迷彩パターンと言えよう。こうした“ぼかし迷彩”はエアブラシで行なうのが一般的だ。作例ではタミヤとAKインタラクティブの塗料を使っているが、当然、各自好みのブランドの塗料で構わない。

塗装は、プロテクティブグリーン4BOのソ連戦車基本色の上にダークブラウン6Kで迷彩を施した。2色迷彩車両を再現。まず、ベース色としてシンナーで希釈したAKインタラクティブのプロテクティブグリーン4BO（品番RC073）をエアブラシを使って、模型全体に吹き付けた（薄く数回にわたって塗布）。

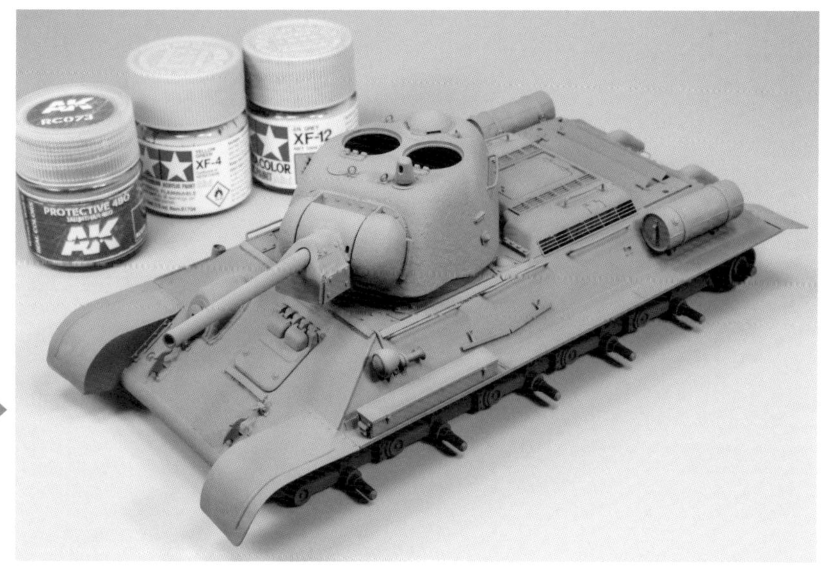

プロテクティブグリーン4BOにタミヤアクリルのXF-4イエローグリーンとXF-12明灰白色を少量加え明度を上げた色を上面および上部に吹き、色調変化によるボリューム感を出す。

迷彩のアタリを描き込む。

次に迷彩を施す。迷彩色と同じ色（あるいはそれより少し明るい色）の水彩色鉛筆（ウォーターカラーペンシル）で迷彩のライン（迷彩パターン）を描き入れていく。

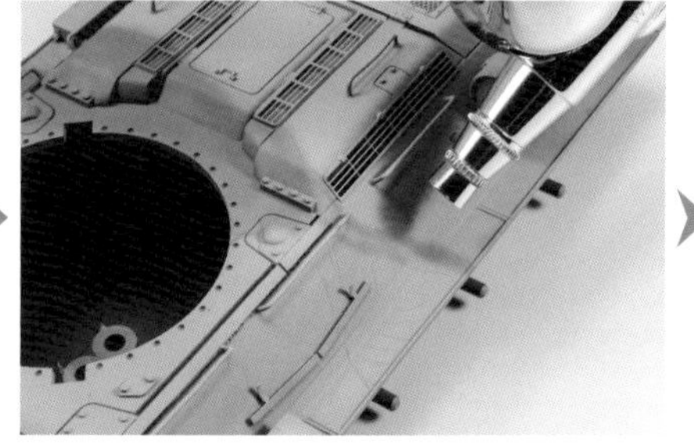

迷彩色はAKインタラクティブのダークブラウン6K（品番RC074）を使用。水彩色鉛筆で描いたアタリの中をシンナーで希釈した同塗料で塗り潰していく。

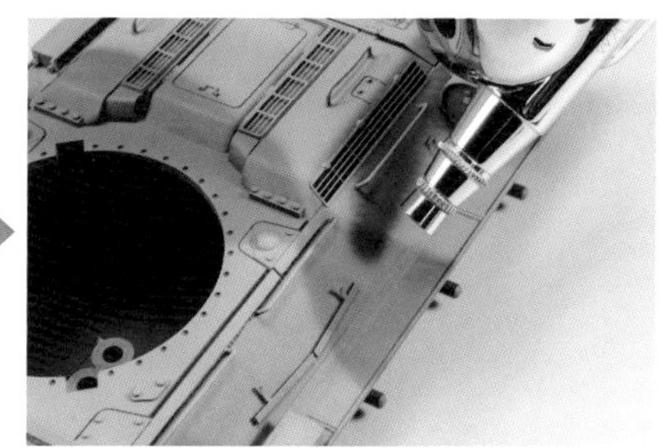

アタリの水彩色鉛筆の跡が見えなくなるまでダークブラウンを薄く数回にわたって塗布する。

プロテクティブグリーン4BOの基本色の上にダークブラウン6Kの迷彩を施した状態。まだこれで終わりではない。

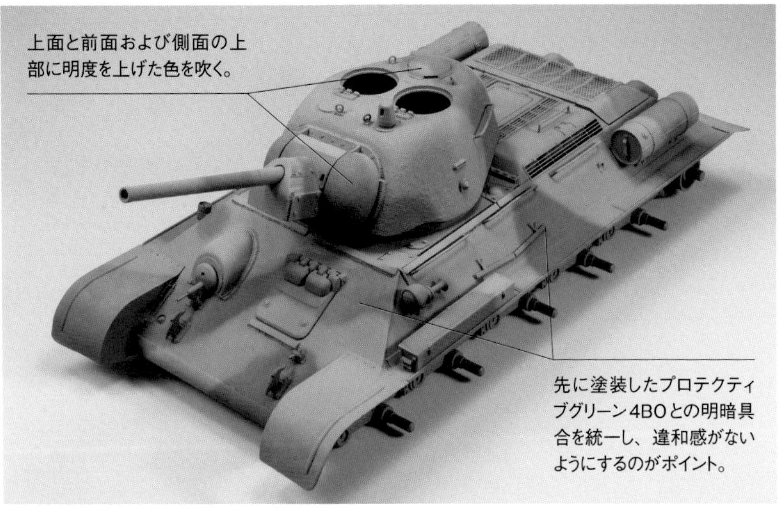

迷彩色のダークブラウン6Kを塗布した箇所も基本色プロテクティブグリーン4BOと同様に上面および上部に明色を吹き、ハイライトを入れる。この2色迷彩は、T-34の迷彩塗装としてはもっともよく知られたものの一つ。

《 筆塗りによる迷彩塗装 》

作例：ヘッツァー火炎放射戦車の雲状３色迷彩

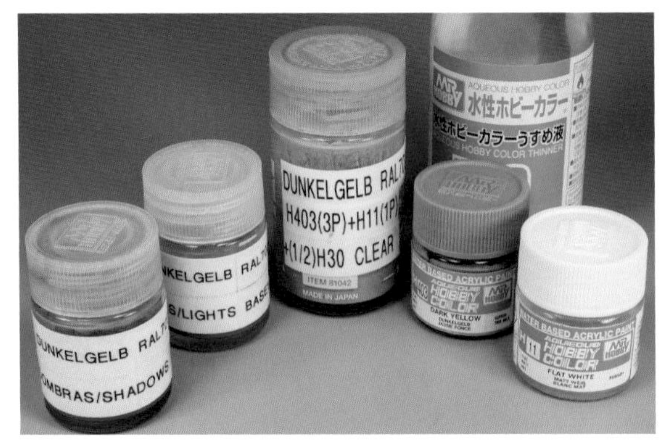

ぼかし迷彩では、エアブラシを使用したが、各迷彩色の塗り分けがはっきりしている場合は、筆塗りでも再現可能である。ここでは、第二次大戦ドイツ軍のヘッツァー火炎放射戦車を作例に解説する。写真は同作例に使用した塗料など。

まず、第二次大戦後期ドイツ軍用車両の基本色であるRAL7028ドゥンケルゲルプを塗布。GSIクレオス水性ホビーカラーのH403ダークイエローに少量のH11つや消しホワイトを加えたベース色を全体に塗布した。

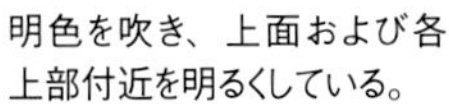

明色を吹き、上面および各上部付近を明るくしている。

ベース色にさらにH11つや消しホワイトを加え、明度を上げた塗料を上面と傾斜装甲の上部に吹き、ハイライトをつけた。

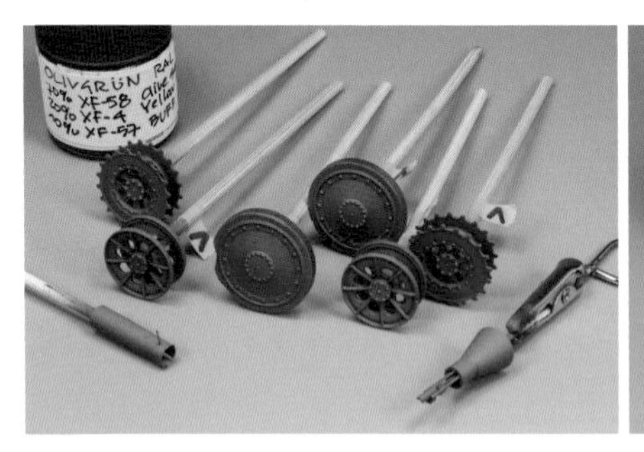

転輪と火炎放射ノズルなどは個別に迷彩色で塗装する。これらのパーツは各迷彩色単色なので、エアブラシで行なっている。

迷彩2色にはファレホ・パンツァーエースの70.985ハルレッド、70.890リフレクティブグリーン、70.882ミドルストーンを使用。

RAL6003オリーフグリュンは70.890リフレクティブグリーン、もう一つの迷彩色RAL8017ロートブラウンには70.985ハルレッドを使っているが、基本色RAL7028ドゥンケルゲルプとのコントラストを抑えるために両色に少量の70.882ミドルストーンを加えている。

実車写真や組み立て説明書の塗装図を参考にグリーンとブラウンの水彩色鉛筆を使って、迷彩ラインを描き込んでいく。迷彩塗装用のアタリなので、薄く描くこと。

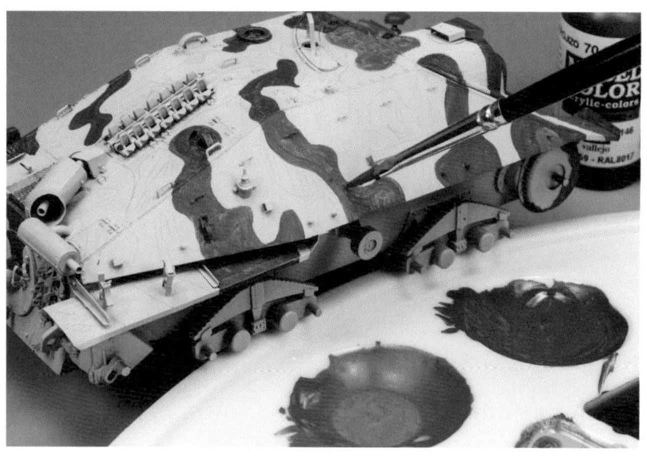

迷彩のアタリに沿って、水で希釈した塗料を筆塗り（中太の平筆を使用）していく。塗装は数回に分けて行ない、塗り重ねによる凹凸ができないように注意しよう。

１回目の筆塗りが終わった状態。この段階での筆ムラ（色の濃淡やカスレ）は気にする必要はない。

２回目の筆塗りが終わった状態。筆ムラはあまり目立たなくなったが、まだ若干色の濃淡が残っている。

３回目の筆塗りが終わった状態。これで迷彩塗装は完了。まだわずかに筆ムラなどが確認できるが、それらはこの後のつや消しクリアーの塗布、さらにウェザリングにより全く目立たなくなるので、心配無用。

《 マスキングによる迷彩方法 》

作例：ブルムベア後期型のディスク迷彩

再現するのが難しい迷彩の一つに、第二次大戦末期のドイツ戦車の一部に見られた“ディスク迷彩”がある。無数の円模様を組み合わせたものだが、これを模型で再現するのはかなり面倒で、敬遠しがちなモデラーの多いはず。もっとも手軽な方法はマスキングによって行なうという方法である。ここでは、ブルムベア後期型を作例に解説する。

最初に塗布面積が大きい方の迷彩色オリーブグリュンから塗布。

基本色を後で塗るために車体下部側面は未塗装で良い。

この作例の場合は、これまでとは逆で最初に迷彩2色、最後に基本色を塗装する。まず、迷彩色RAL6003オリーフグリュンの塗装から。GSIクレオスの水性ホビーカラー H405オリーブグリーンをベースにタミヤアクリルのXF-71 コクピット色（日本海軍）とXF-57バフを少量加えて調色した塗料を全体に塗布した。

上面と各部分の上部に明色を吹き、明暗色調の変化をつける。

ベース色にXF-4イエローグリーンとXF-3フラットイエローを少量加えた色を上面および各上部付近に塗布し、ハイライトを入れた。

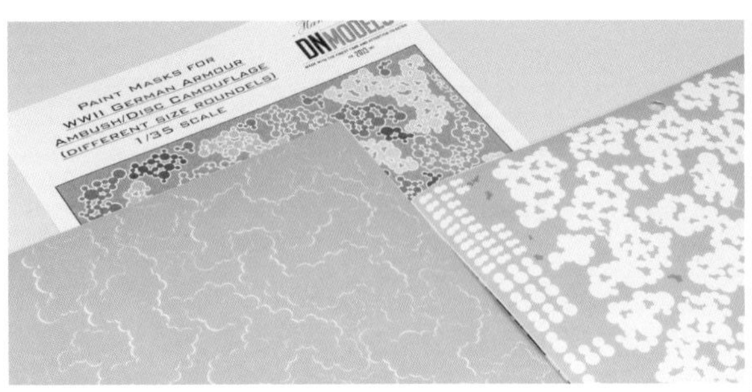

複雑なディスク模様はマスキングテープを切り出して行なう方法（下写真参照）もあるが、ここではもっと便利な商品、DNモデルズ社の『1/35 WWII GERMAN ARMOUR AMBUSH/DISC CAMUFLAGE』を使用。ビニール製マスキングシールで、写真のように貼り付けるだけで、任意のサイズや形状のマスキングを行なうことができる。

ベース色にバフを加えた明色でハイライトを入れる。

レッドブラウンにフラットフレッシュを少量加えた色を全体に塗布。

筋状の汚れも表現しておく。

オリーフグリュン色を残したい箇所のマスキングが完了したら、もう一つの迷彩色RAL8017ロートブラウンを塗布する。タミヤアクリルのXF-64レッドブラウンにXF-15フラットフレッシュを少量加えた色を全体に塗装し、その後、同色にXF-57バフを少量加え、明度を上げた色でハイライトを入れた。

上記DNモデルズのマスキングシートよりも大きな円が必要な場所は、マスキングテープを切り抜いて作製した。

ロートブラウン色を残す箇所にDNモデルズのマスキングシートを貼る。

黄色いところは、マスキングテープを切り抜いて作製した円状マスク。

迷彩色のロートブラウンを残したい箇所に前工程と同様にマスキングしていく。

基本色ドゥンケルゲルプでも上面にハイライトを入れ、色調を明るくする。

マスキングを終えたら、次は基本色RAL8017ドゥンケルゲルプの塗装。GSIクレオス水性ホビーカラーのH403ダークイエローに少量のH11つや消しホワイトフラットを加えた色を全体に塗布した後、さらにH11つや消しホワイトを加えて明度を上げた塗料を上面と傾斜装甲の上部に吹き、ハイライトをつけた。

最後に塗布したドゥンケルゲルプが完全に乾いたら、マスキングを剥がして、出来具合をチェックする。

マスキングによる塗装では、マスクが浮き上がり、塗料がきれいについていない（例えば丸で囲んだ箇所）ということはよくある。これは実車（記録写真）のにも見られることだが、気になる場合はリタッチしよう。

起動輪、転輪、誘導輪はドゥンケルゲルプの単色塗装。シュルツェンは車体と同様にディスク迷彩を施した。

《 冬季迷彩の再現方法 》

戦車や軍用車両の代表的な迷彩塗装として、車体に白色塗料を上塗りした冬季迷彩も上げることができる。模型で冬季迷彩を再現する方法も多々あるが、ここでは冬季迷彩の作例として第二次大戦東部戦線のソ連戦車とドイツ戦車の２例を紹介。

作例１：KV-1重戦車

まずはソ連戦車基本色のプロテクティブグリーン4BOの塗装から。31ページのT-34の基本色塗装と同様にAKインタラクティブの塗料を使って行なった。

基本色4BOの塗装が終えたら、白の水彩色鉛筆を使って、T-34の場合と同様に迷彩ラインを描き込んでいく。全面白塗装の場合は、当然、この作業は必要ない。

白の水彩色鉛筆で迷彩のアタリを描いた状態。

平筆を使い、迷彩の中を塗りつぶす要領で、希釈したエナメル塗料（作例はハンブロールだが、タミヤなどのエナメル塗料でも良い）のフラットホワイトを塗っていく。

筆塗りによる白色の下塗りが完了。筆ムラがあるが、この後にエアブラシで上塗り・修正するので、これぐらいで充分。

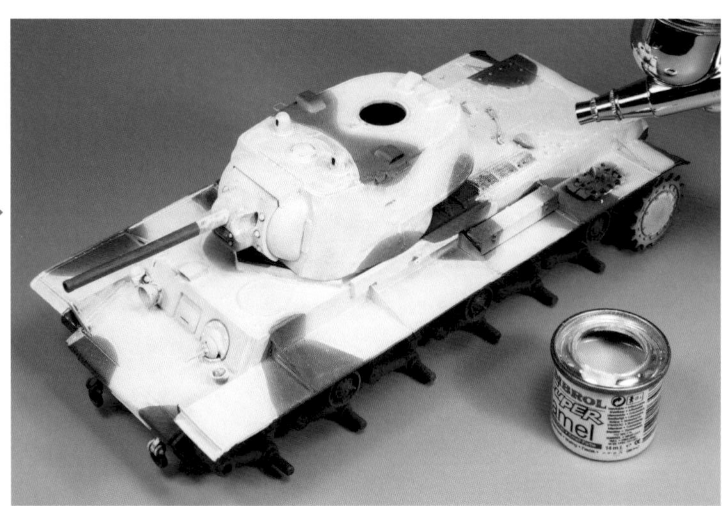

エアブラシを使って、筆塗りの白色部分にさらに色を乗せていく。

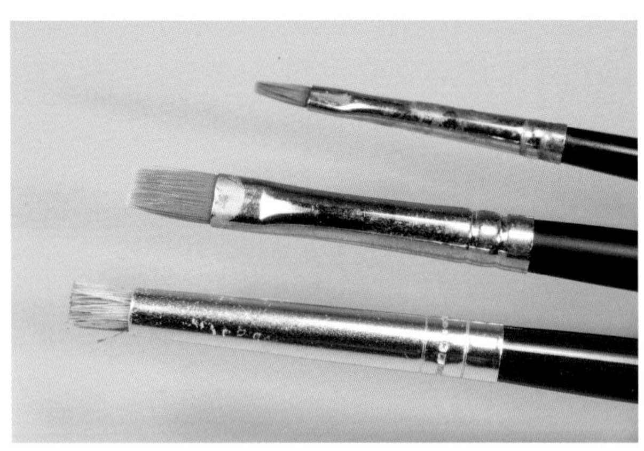

実車の白色塗料は水性塗料や石灰なので、色落ちが激しい。それを模型でも再現するためにエナメル塗料用のシンナーを浸した平筆を使って、白色を落としていく。平筆は施工箇所によって、幅が異なるものを併用する。

白色を落とす箇所は、突起部やエッジ部分など擦れるところ。

色落ち具合を強く表現したい箇所はスポンジペーパーを擦って行なう。

〔色落ちしやすい箇所1〕エッジや角の部分。

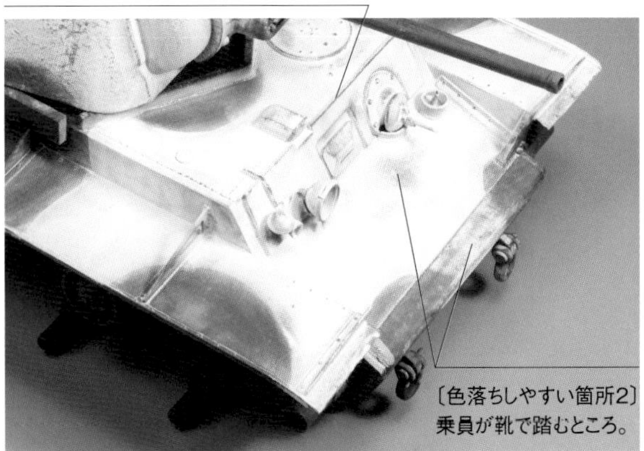

〔色落ちしやすい箇所2〕乗員が靴で踏むところ。

〔色落ちしやすい箇所3〕乗員が出入りするハッチ周辺。

〔色落ちしやすい箇所4〕擦れやすい砲塔側面。

白色を落とす箇所は、乗員が手で触れるところや靴で踏まれるところ。さらに木や障害物などと接触する砲塔側面やフェンダーなど。

ハッチのクローズアップ。ハッチは乗員が頻繁に触れる箇所。特に上部は色落ちを強くしておく。

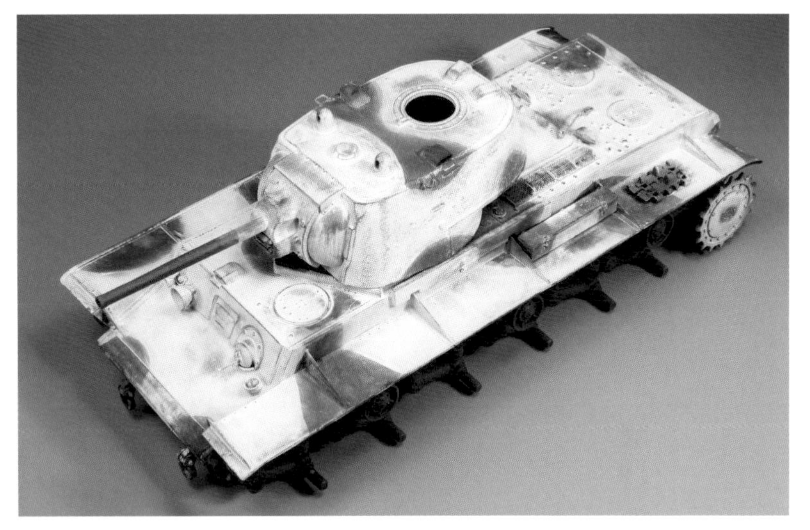

白色の冬季迷彩を施したKV-1。冬季迷彩は、色落ちと汚れ具合の表現がポイント。

作例2：III号戦車N型

III号戦車N型の場合もまず、RAL7021ドゥンケルグラウの基本色塗装をしっかりと行なっておく。

基本色の塗装が終えたら、白の水彩色鉛筆を使って、KV-1の場合と同様に迷彩ラインを描き込んでいく。作例のようにデカール部分を塗り残す場合は、こうした下書きはかなり有効である。

白色迷彩は、AKインタラクティブのAK751ウォッシャブルホワイトを使用。エアブラシを使って、同塗料を前工程でアタリをつけた迷彩部分に塗布した。

AK751ウォッシャブルホワイトは、エナメル塗料よりも簡単、かつリアルに冬季迷彩を再現できる優れもの。

水で濡らした筆でウォッシャブルホワイトを擦り、白色が剥がれた状態を表現する。この時、筆は一定方向（上から下）に運ぶこと。

冬季迷彩の基本塗装を終えたIII号戦車N型。

《 北アフリカ戦線塗装の再現方法 》

作例：I号戦車A型

迷彩塗装ではないが、RAL7021ドゥンケルグラウの基本色にサンドカラーを上塗りした北アフリカ戦線前期のドイツ戦車の塗装も白色冬季迷彩と同様のテクニックを用いて塗装ができる。北アフリカ戦線ドイツ戦車の塗装例としてI号戦車A型を製作した。

ベース色となる基本色RAL7021ドゥンケルグラウをタミヤアクリル塗料で調色し、模型全体に塗布した。この後に明度が高いサンドカラーを全体に上塗りするので、ハイライトの塗布は行なっていない。

マスキングにはMXプレジョン社の『パンツァーパテ』を使用した。粘土状のシリコンパテなので、様々な迷彩パターンに対応可能。さらに密着性も高いため、複雑な形状や凹凸が多い模型表面へのマスキングも容易だ。

サンドカラー（RAL8000ゲルブブラウン）を塗布しない箇所（国籍標識や砲塔番号を描く箇所）にパンツァーパテとマスキングテープでマスキングする。

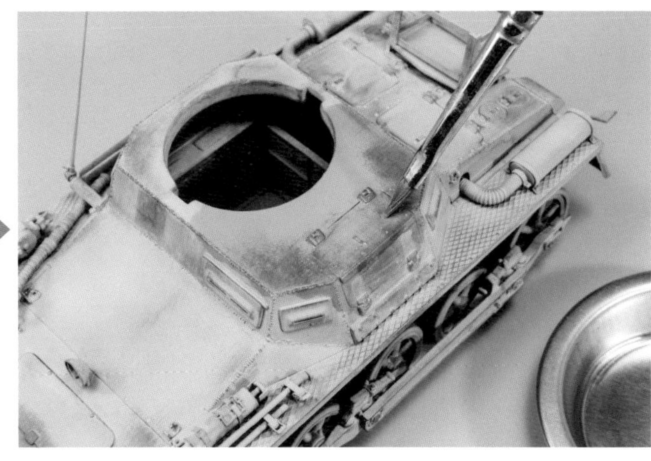

ハンブロールのエナメル塗料を調色して作った北アフリカ戦線前期のドイツ軍基本色RAL8000ゲルブブラウンを塗布。塗料はシンナーで希釈し、下地の基本色ドゥンケルグラウが部分的に薄っすらと見えるようにエアブラシで薄く吹いている。

エナメル塗料用のシンナーを浸した平筆を使って、色落ちを表現したい箇所のゲルブブラウンを落としていく。

色落ちの具合により幅が異なる平筆を併用して作業を行なう。

基本塗装を終えた北アフリカ戦線のI号戦車A型。

《 未塗装の装甲板を表現 》

作例：VK3002（DB）試作戦車

塗装で金属の質感を表現するのは、単色塗装や迷彩塗装よりも難しい。金属らしい装甲板の地肌、錆びた箇所や溶接による焼け跡、さらに下塗りのプライマー処理など……。最近は、試作車両や計画車両の人気も高く、それらの模型も多数発売されている。そうした車両を作る際には、（塗装による）未塗装の状態に仕上げるのも１案と言える。

アミュージングホビーの1/35 VK3002（DB）の砲塔を未塗装の状態（長期間放置され錆びた状態）に仕上げる。まず、最初に下地としてファレホのサーフェイサープライマー、RAL8012ジャーマンレッドブラウンに少量の73.602ブラックを加えたものを全体に塗布した。

溶剤で希釈したタミヤアクリル塗料のXF-9ハルレッドを上面や前面／側面／後面の上部に薄く吹き、ハイライトを入れ変化をつける。

ハイライトを入れ、上部を明るく、下部を暗くする。

さらにXF-9ハルレッドに少量のXF-15フラットフレッシュを加えた色を部分的に吹き付け、色調に変化をつけた。

次は錆の表現。この工程ではライフカラー社のアクリルカラーセット『DUST AND RUST』を使った。まず、同セットのUA702ラストベースカラーをエアブラシを使って、前工程の最後にハイライトを入れた箇所付近に吹いた。

赤茶色っぽい箇所がラストベースカラーを塗布した箇所。

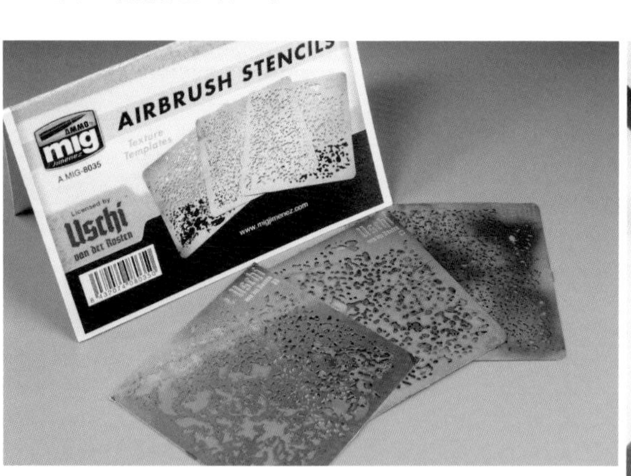

アモMIG社のテンプレート『AIRBRUSH STENCILS : Texture Templates』(品番A.MIG-8035)を使用し、さらに細かな錆を表現。錆を入れたい箇所に同テンプレートを当て、UA703ラストライト・シャドー1とUA704ラストライト・シャドー2を吹いた。

砲塔上面に塗布した錆。錆の形や色調に変化をつける。

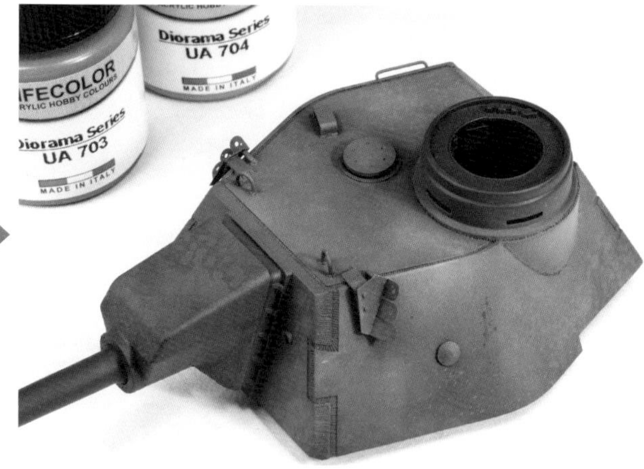

さらに希釈したUA703ラストライト・シャドー1とUA704ラストライト・シャドー2を薄っすらと吹き、明るい錆汚れを追加。

全体的なコントラストが強いので、希釈したUA701ラストダーク・シャドー(暗い錆色)を吹き、調整する。

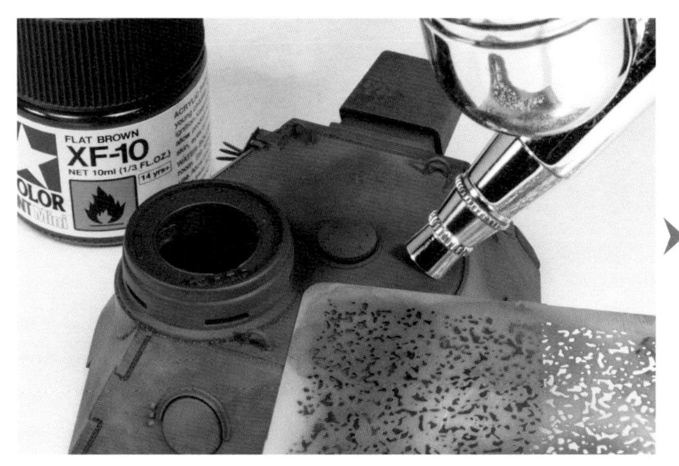

さらにタミヤアクリル塗料のXF-10フラットブラウンを吹き、濃い色調の斑を追加。

タミヤアクリル塗料のXF-59デザートイエローを部分的に薄く吹き、砂埃による汚れ跡も追加する。

錆塗装を終えた砲塔。錆の色調や入れ方、さらに付着した砂埃などにより長期放置された感じを出した。

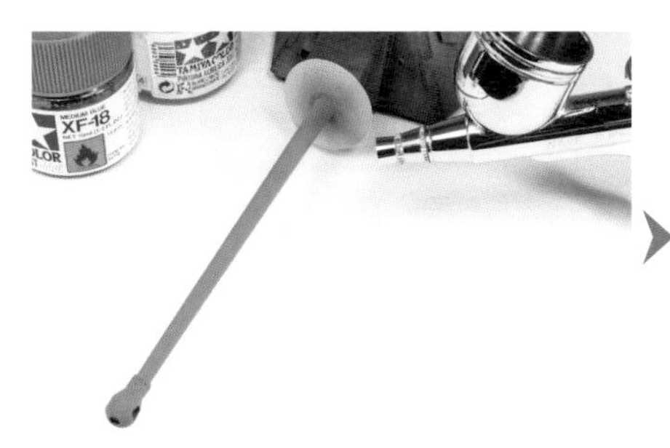

砲身は耐熱プライマーを塗布した状態を再現するため、XF-18ミディアムブルーとXF-2フラットホワイトを混色したライトグレーを吹いた。

溶接による焼け跡と煤汚れを表現するためにプラ板でエアブラシ用マスクを作製。

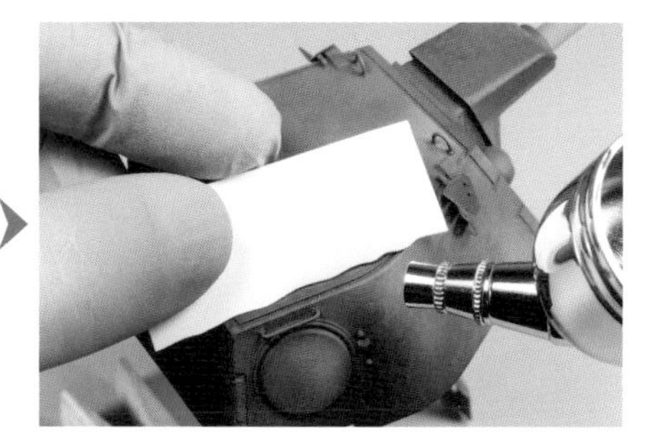

プラ板のマスクを溶接ラインに合わせ、20%に希釈したXF-7フラットブルーを薄っすらと吹いていく。

XF-7フラットブルーで薄い煤汚れの下地色をつけた状態。キューポラを間違ってライトグレーで塗装しているが、これは後に修正。

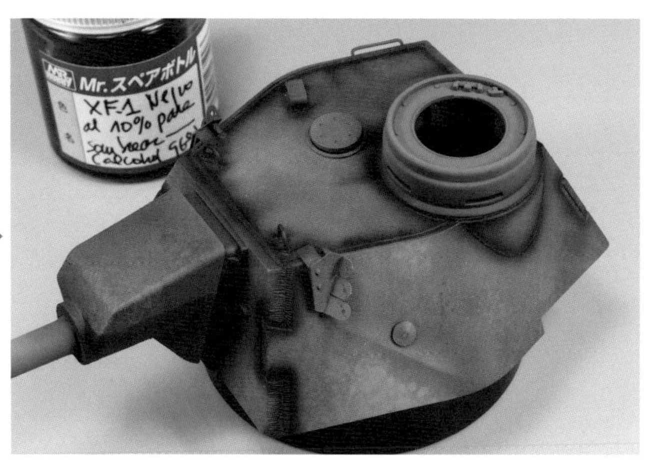

さらに溶接ラインに10%希釈したXF-1フラットブラックを細吹きし、焼け跡と煤汚れを表現した。

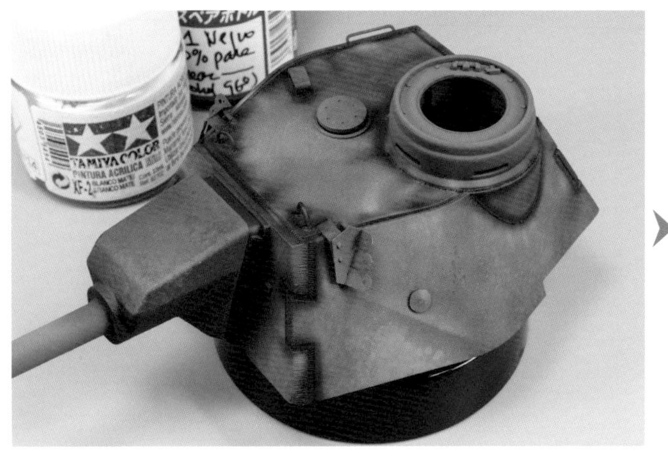

次に10%希釈したXF-2フラットホワイトを溶接ラインの周囲に吹いて白焼けを追加した。

さらに溶接ラインに沿ってシタデル社のリードベルチャーを塗る。

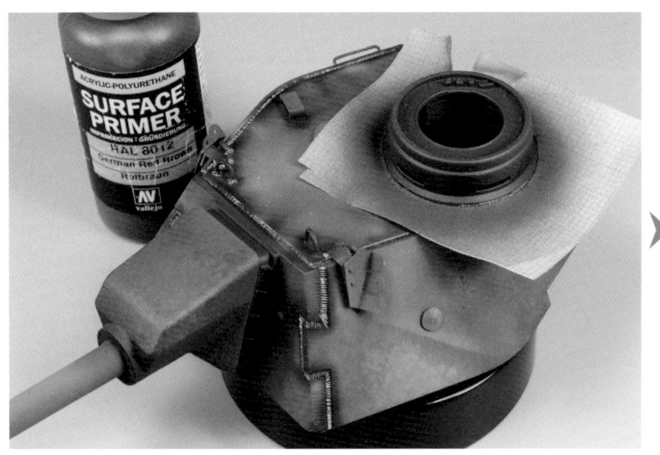

キューポラの周囲に色がつかないようにマスキングテープを貼り、ファレホのRAL8012ジャーマンレッドブラウンを吹いた。

キューポラはオキサイドレッド色の錆止めプライマー塗装が施された状態を再現した。

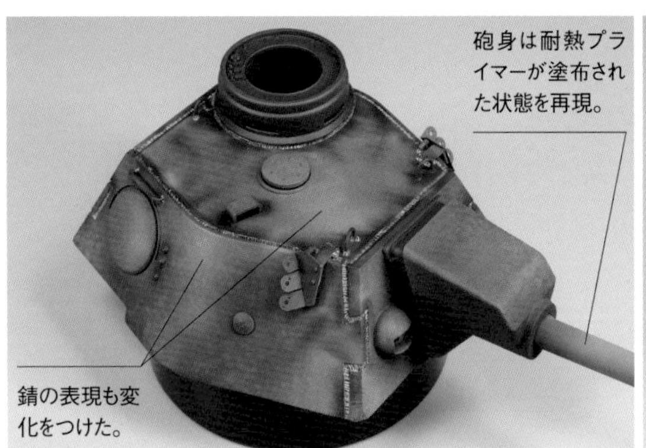

塗装を終えたVK3002(DB)の砲塔。錆びついた装甲板、焼き跡が残る溶接ライン、プライマー塗装が施された砲身とキューポラなど未塗装の状態を再現している。

砲塔を車体に乗せた状態。第二次大戦前期ドイツ戦車基本色のRAL7021ドゥンケルグラウで塗装された車体に未塗装の砲塔を載せた状態とし、試作戦車らしさを表現した。

2-3　各種マーキング類の再現

基本塗装が完了したら、次のウェザリング作業の前にやっておくことがもう一つある。国籍標識や車両番号、部隊マーク、パーソナルマークなどのマーキング類の再現である。マーキングは完成模型にとって“ポイント・オブ・ビュー”にもなる重要な作業である。ここでは、デカール使用による一般的な方法からエアブラシや筆塗りによる塗装など様々なマーキング再現テクニックを解説していく。

《 デカールによる再現方法 》

水転写デカールを使用する

大抵の模型キットには、水転写タイプのデカールが付属しており、それを使用すれば簡単に箱絵や説明書塗装図どおりの姿を再現することができる。デカール貼付のために用意するものは、容器に入った水またはぬるま湯、ハサミ、ピンセット、吸水性が高い紙や綿棒、さらにデカール貼付専用の軟化剤、定着剤などである。

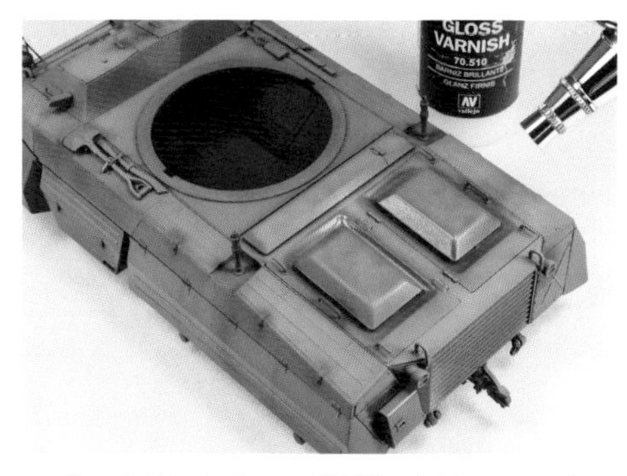

M8装甲車を例に解説。まず密着性を良くするためにデカールを貼る箇所にグロスバーニッシュを吹き付けておく。写真ではファレホ社製品を使用しているが、入手しやすいタミヤカラーやGSIクレオスMr.カラーでOKだ。

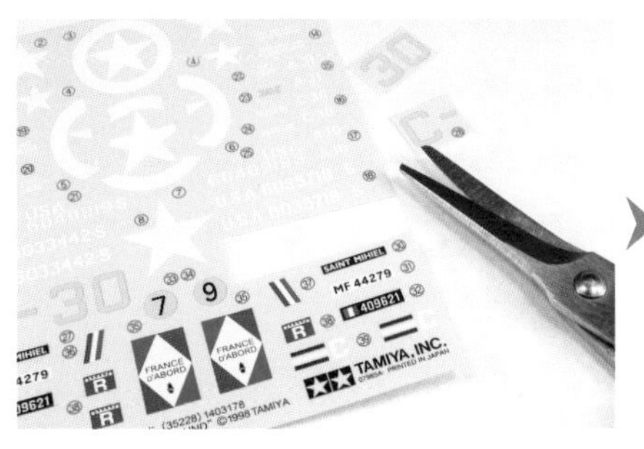

デカールシートから使用するデカールを切り取る。切り取ったデカールは、周囲の余白部分を可能な限りカットしておく。

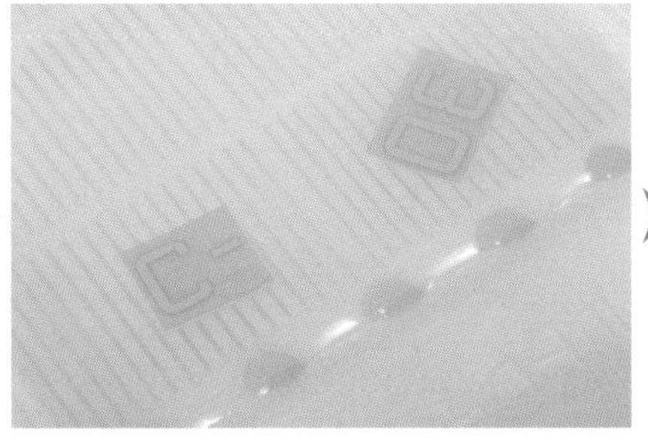

デカールを水に数分浸ける。デカールによって、水に浸けておく時間が異なるが、浸け過ぎると粘着性が低下するので注意しよう。

指で軽く触れ、デカールがシートから離れるようになればOKだ。水から取り出したデカールは吸水性がある紙などの上に置き、水分を少し取り除く。

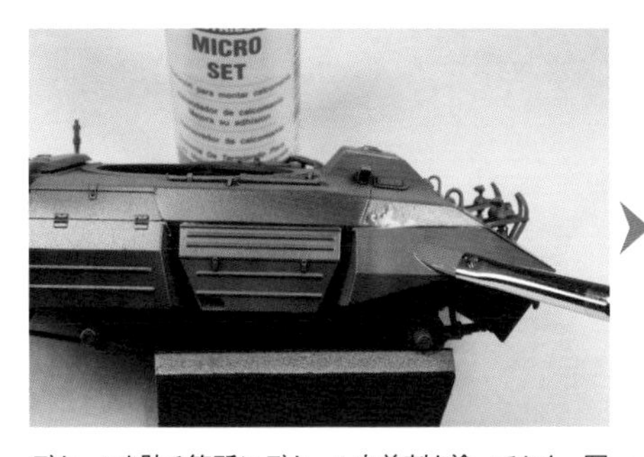

デカールを貼る箇所にデカール定着剤を塗っておく。写真はマイクロスケールのマイクロセットを使用しているが、日本で入手容易なGSIクレオスのMr.マークセッターでも良い。

ピンセットなどでデカールを保持し、スライドさせる要領で模型の貼付箇所に移す。

筆先や爪楊枝など（デカールを傷つけないもの）を使ってデカールを正確な位置に置く。

位置が決まったら、吸水性のある紙や綿棒などを使って、余分な水分を取り除く。

デカール表面に専用の軟化剤を塗り、デカールを模型表面に密着させる。ここではマイクロソルを使用しているが、入手容易なMr.マークソフターでもOKだ。

後はデカールが乾くのを待つ。軟化剤を塗ると、デカールが柔らかく（脆く）なり、デカールに触れたり、動かしたりすると破損する恐れがあるので要注意。

写真は、車体前部に国籍標識のデカールを貼っているところだが、このように凹凸がある場所にデカールを貼る際は、デカール軟化定着剤（マイクロソルやMr.マークソフターなど）を塗り、凹凸にしっかりと密着させる必要がある。

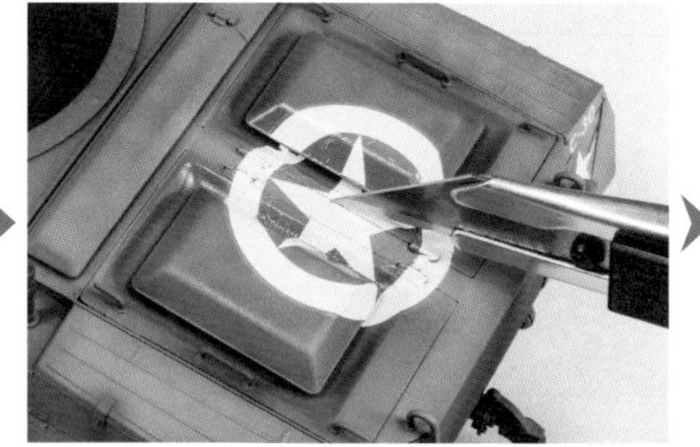

また、写真のようにデカールがパネルラインやヒンジの上、さらにかなり立体的な突起物の上に貼らなければならない場合は、カッターで切り込みを入れて密着させる。

写真のような箇所にデカールを貼ると、どうしてもデカールの一部に欠けたところ（矢印）ができてしまう。

こういう場合は、デカールと同じ色の塗料（この場合はホワイト）を隙間や欠けた部分に塗って、リタッチする。

デカール表面を保護するためにファレホのグロスバーニッシュを吹く。

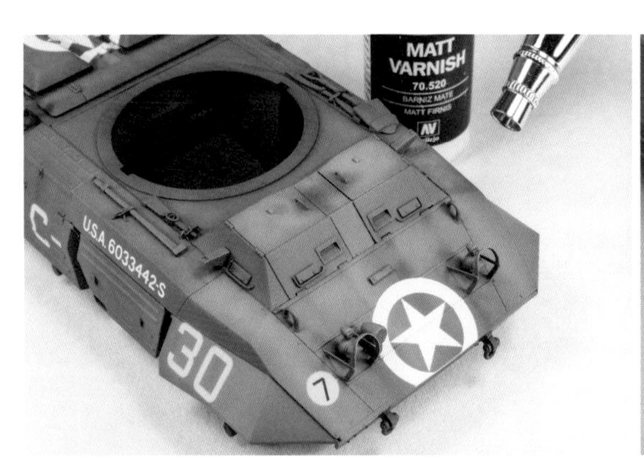

さらにマットバーニッシュを全体に塗布。乾いた後は、模型表面とデカールの艶が均一になり（艶が消え）、さらにデカールの段差も目立たなくなり、まるでペイントしたかのような仕上がりに見える。

オリーブドラブの単色塗装とデカールを貼り終え、基本塗装が完了したM8装甲車。この後にディテールの塗装、ウェザリングを行ない仕上げていく。

ドライデカールを使用する

ドライデカールは、擦って模型に転写する、いわゆる"インレタ"方式のデカールである。作例は、高品質で知られるアーチャー社の『1/35 German WWII turret numbers（第二次大戦ドイツ戦車 砲塔番号）』（品番AR35037W）を使用した。

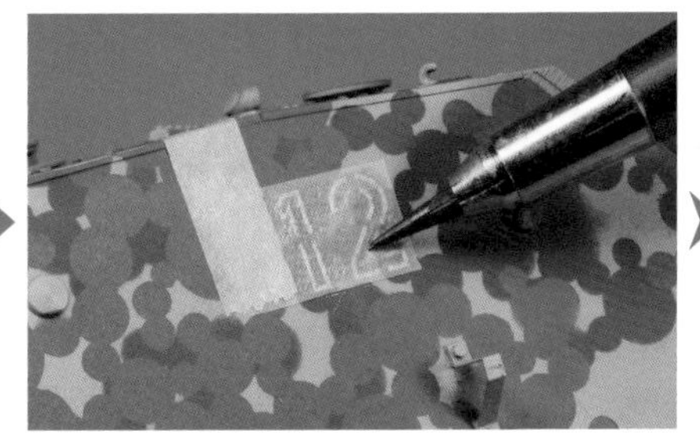

ブルムベア後期型の戦闘室側面に切り取ったデカールを当てる。作業中にずれないようにマスキングテープで仮留めしておく。

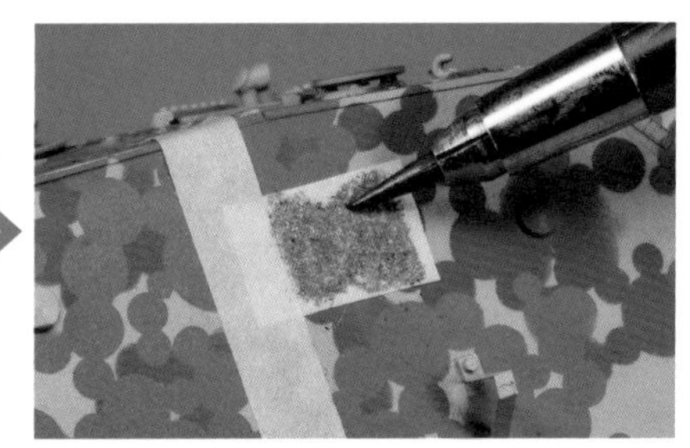

ドライデカールを転写する際は、先端が丸い棒状のものを使用するが、鉛筆を使うと、擦り忘れ、さらに均等に擦れているかが一目でわかる。

ドライデカールを貼付した状態。ドライデカールの１番のメリットはデカールの厚みがないこと、そして余白がなく、シルバリングの心配がないことである。

後のウェザリングの際にデカールが剥がれないようにするため、最後にマットバーニッシュを吹いて、デカール表面を保護しておく。

《 マスキングによる再現方法 》

市販のマスキングシールを使う

市販のマスキングシールを使うやり方は、もっとも簡単な方法である。モンテXのビニール製のマスキングシール、スーパーマスク『ソ連重戦車パート4 KV-1重戦車』（品番K35020）を使って、KV-1の砲塔側面に描かれたマーキングを再現する。

シートの中から使いたい文字マスクを選び、マーキングを施す砲塔側面にシールを貼る。注意する点は、しっかりとシールを模型表面に密着させ、文字の周囲に隙間を作らないようにすること。

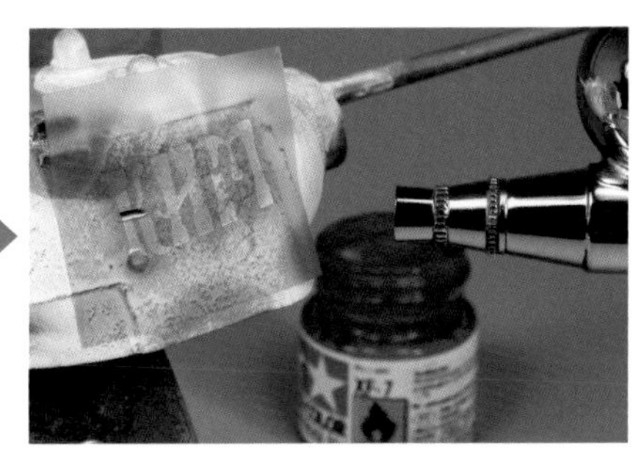

エアブラシを使って、文字部分にタミヤアクリル塗料のXF-7フラットレッドを塗布。文字の周囲に塗料の段差ができないように、溶剤で希釈した塗料を薄く数回にわたって細吹きしていく。

マスキングシールを剥がして、色乗り具合をチェック。

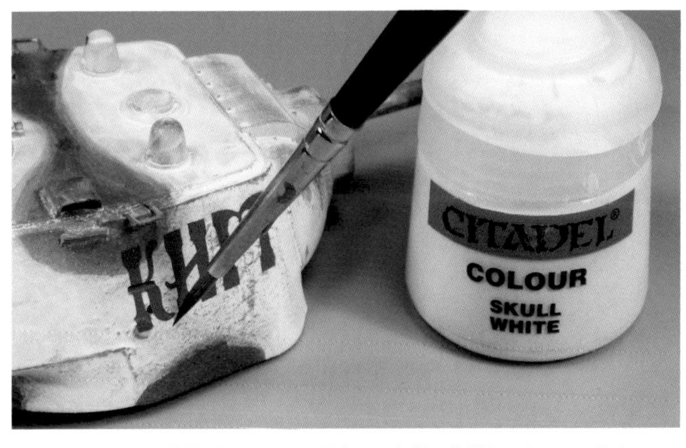

気になるはみ出しや塗料垂れなどがある場合は、細筆に塗料をつけリタッチする。

ステンシルを使ってマーキングを再現

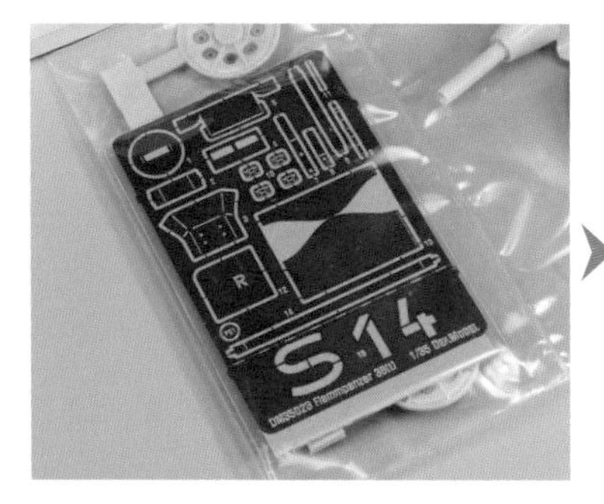

ここでは、デフモデル社の改造パーツセット『ヘッツァー火炎放射戦車』に付属しているエッチング製のステンシルを使って、マーキングを再現。

実車写真のS-11号車を再現するため、キットの"S-14"の中の"S-1"の部分のみを使用。マスキングテープで固定し、タミヤアクリル塗料のXF-3フラットイエローを吹く。

ステンシルを剥がし、色のり具合をチェック。

"S-11"にするため、ステンシルの"1"のみ再度使い、"S-"はマスキングテープで覆って、所定の位置にセット。同じ塗料を再度吹く。

ステンシルを剥がし、仕上がりをチェック。はみ出しや色垂れなどがあれば、車体色で修正する。

自作のマスクキングシールで再現

マスキングシールは自作も可能だ。ここでは、タミヤのメイクアップ材シリーズ『マスキングシール』を使って、マーキングを再現した。

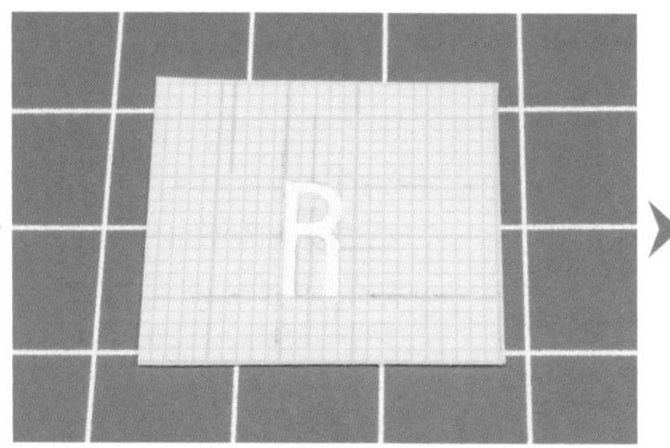

作例は、北アフリカ戦線のI号戦車A型砲塔に描かれた号車番号"R"を自作した。

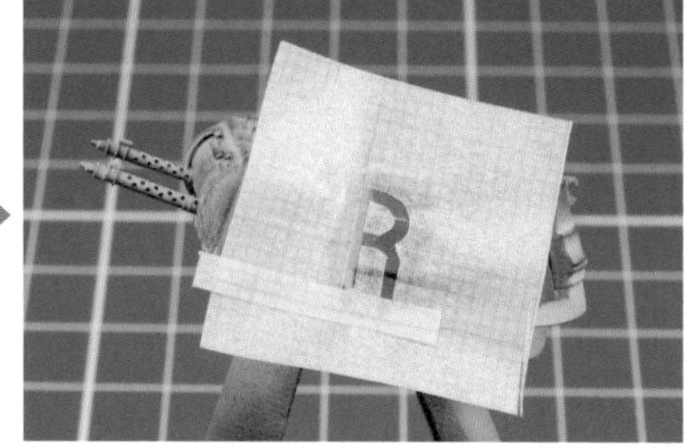

自作したマスキングシールを砲塔に貼り付けた状態。

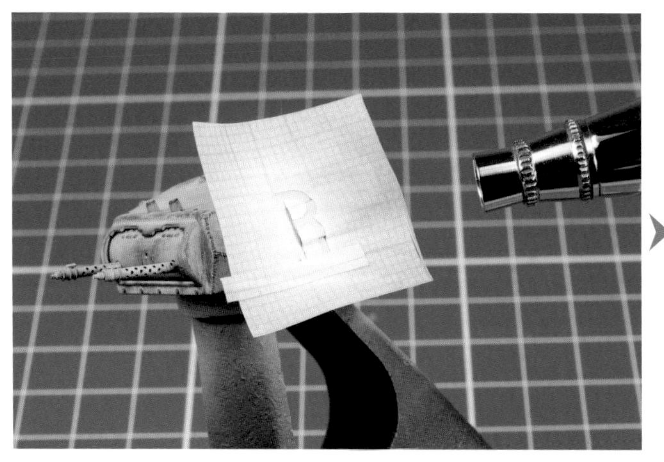

XF-1フラットホワイトを塗布。余白部分を大きくしておけば、周囲に色がついてしまうようなミスを防ぐことができる。

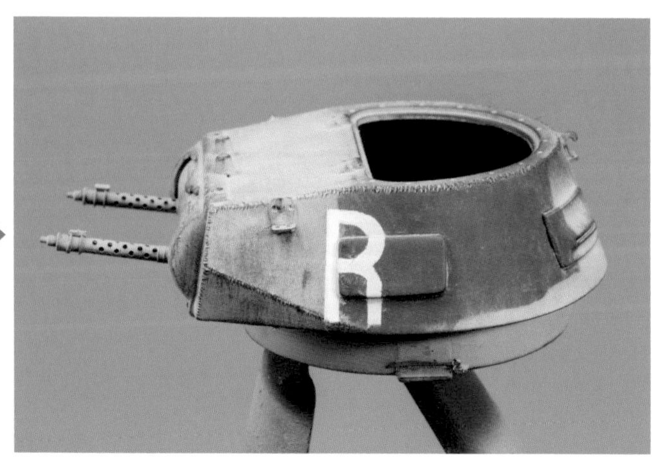

塗料が乾いたのを確認した後、シールを剥がし仕上がりをチェック。修正箇所がある場合は車体色でリタッチしよう。

《 筆塗りでマーキングを施す 》

WWIIソ連戦車のスローガンを描く

ソ連軍が使用したバレンタインMk.IVの砲塔側面に描かれていたスローガンを再現する。まず、トレーシングペーパーに1/35スケールのスローガンを描く。

トレーシングペーパー裏面のスローガン部分に鉛筆の黒鉛を擦り付ける。マスキングテープを使って、砲塔にこのペーパーを貼り付けた後、文字のラインに沿って鉛筆書きし、砲塔側面に黒鉛のアタリを転写する。

黒鉛でつけたアタリに沿って、塗料で文字を描いていく。一度に色付けするのではなく、薄めに希釈した塗料を数回塗り重ねるようにすれば、筆ムラを抑えることができる。

砲塔の反対側のスローガンも同様のやり方で再現した。

車体各部の細かなマーキングを再現

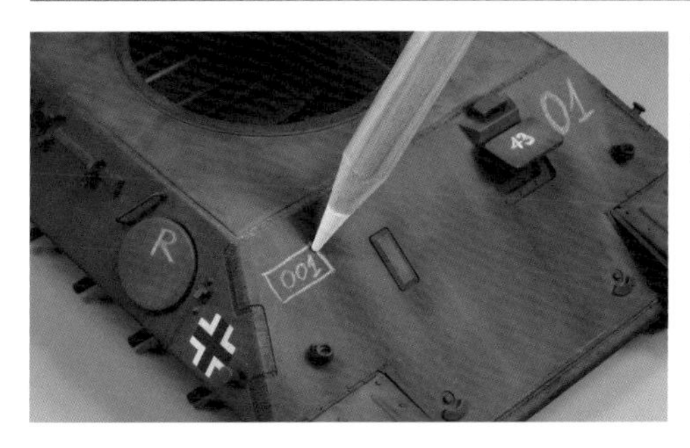

試作戦車などに見られる注意書きや番号、サイズ表記などの細かなマーキングも水彩色鉛筆と細筆があれば、手書きが可能だ。

まず、水彩色鉛筆（塗料と同じ色）を使って下書きした後、その上から細筆を使って、塗料で描いていく。

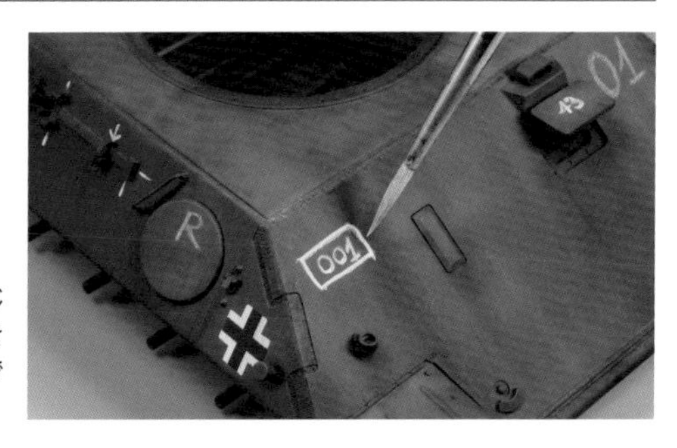

1/35ドイツ試作戦車VK3002（DB）の1例。車体各部に生産工場で記された注意書きなどを描き込むと、より試作戦車らしく見せることができる。

第３章

ウェザリング

次の工程は、“汚し塗装”＝ウェザリングだ。
ウェザリングと一口に言っても表現方法に応じて多種多様なテクニックが要される。
油彩やエナメル塗料を使ったウォッシング、フィルタリング、エイジング、
さらに塗料が剥がれた状態、砂埃やオイル、燃料などの汚れなど、
戦場で酷使される戦車、軍用車両には“汚れた表現”は不可欠。
模型完成品の出来栄えはいかにしてリアルなウェザリングを施すかで決まると言っても過言ではない。

3-1　スクラッチによるチッピング表現

車体色の塗料が剥がれた状態(チッピング)を再現するには、様々な方法がある。上塗料を剥がす“スクラッチ”もその一つである。この方法は、基本塗装の最初に行なう下地塗装を露出させる方法で、ウォッシングやフィルタリング作業の前に行なう。

作例1：BA-10装輪装甲車

まず、ファレホのサーフェイサープライマー 70.605ジャーマンレッドブラウンを全体に塗布する。この色は、実車の塗装下地として用いられる錆止めプライマー色（オキサイドレッド）を再現。

サーフェイサープライマーが乾いた後、GSIクレオスの多目的離型剤Mr.シリコーンバリアーを全体に塗布。

4BOにXF-4フラットイエローやXF-2フラットホワイト、XF-1フラットブラックを混ぜた色で明暗色調の変化や汚しを加え、基本塗装を完了。

塗料が乾いた後、Mr.シリコーンバリアーの上に塗布した基本色グリーンを部分的に剥がす。カッターの刃や背を垂直に当て、軽く擦る感じで上塗りした塗料を剥がしていく。

細かなチッピング（剥がれ跡）は、600番くらいのペーパーをかけて表現する。ジャーマンレッドブラウンの下地色が剥がれないように注意すること。

接触しやすいフェンダーの先端や縁。

開閉式のハッチやパネルの周囲。

各部のエッジや突起物の縁。

乗員が乗り降りするところ＝頻繁に触れたり、靴で踏まれる場所。

表面の基本色塗料が剥がれ、部分的に下地の錆止めプライマー色（オキサイドレッド）が見えている状態を再現。

作例2：バレンタインMk.IV ソ連軍仕様

バレンタインは、下地のプライマー色としてファレホのサーフェイサープライマー 70.605 ジャーマンレッドブラウンに少量の70.602ブラックを加えた色を全体に塗布した。

Mr.シリコーンバリアーを全体に吹き、基本塗装(30ページを参照)を施した後、前ページと同じやり方で上塗りした基本色を剥がした。

擦れる箇所の他に、パーツが取れた箇所(丸で囲んだ箇所＝排気管カバーの後部)なども下地色とする。

各部のエッジ、突起物の周囲、ハッチの周囲、手すりなどに塗料が剥れた箇所を施した。

3-2 フィルタリング

基本塗装を終えたばかりの模型は、実車が持つようなリアルな感じにはまだ程遠い状態と言える。フィルタリングを施すことで、車体表面に汚れや退色した感じを付加し、単調になりがちな車体色の色調に変化をつけることができる。フィルタリングには、主に油彩（油絵具）やエナメル塗料が使用される。

《 どんな油彩を使うのか？ 》

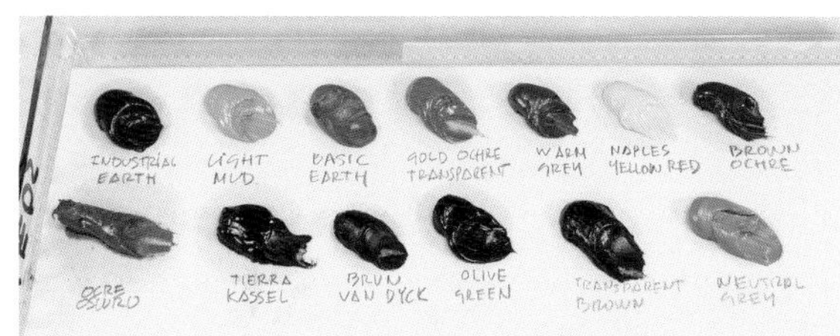

フィルタリングには、各ブランドの油彩を使った。油彩は、明色、暗色、模型の車体色に適した色など、色調が異なる何種類か用意する。

使用する油彩の種類

基本色	RAL7028 ドゥンケルゲルプ	RAL7021 ドゥンケルグラウ	オリーブドラブ プロテクティブグリーン 4BO	デザート（サンド）カラー	ホワイト冬季迷彩色
ブラック	カドミウムイエロー		カドミウムイエロー	カドミウムイエロー	
ホワイト		マゼンタ	マゼンタ		
バーントアンバー	プロシアンブルー	プロシアンブルー			
ローアンバー			オリーブグリーン		
ナチュラルグレー					オーカー
ペインズグレー					セピア
				ネイプルスイエロー	

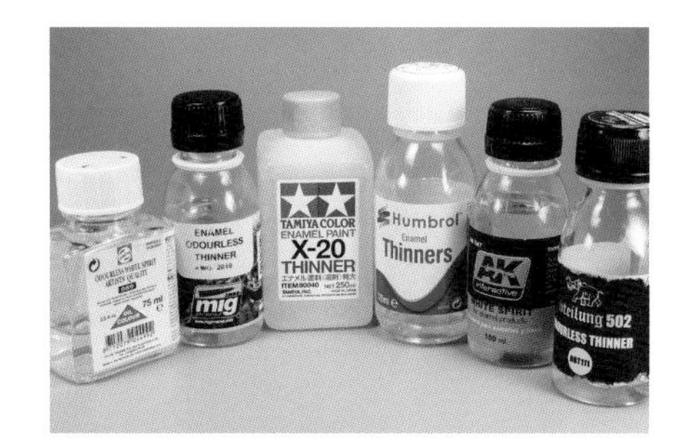

油彩を溶いたり、薄めたりするための各種溶剤（油彩用シンナーやエナメル塗料用シンナーなど）も必要。

筆は、細筆やサイズの異なる平筆を用意。フィルタリングにはきれいな筆を使用すること。

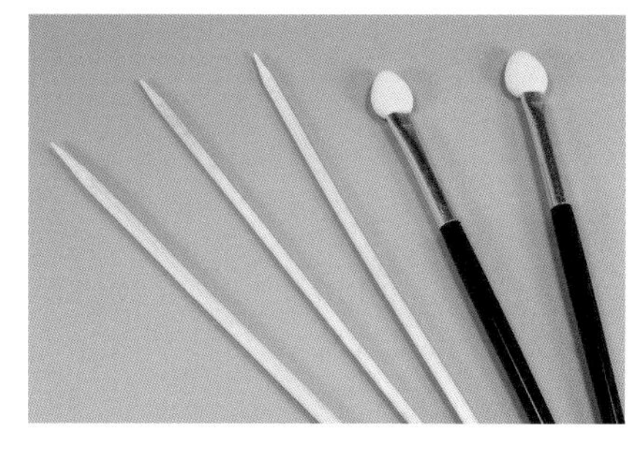

筆の他にスポンジ筆（写真はタミヤのウェザリング用スポンジ筆）や爪楊枝なども用意しておくと作業がしやすい。

《 フィルタリングによる退色表現と汚し 》

作例 1：VK3002（DB）試作戦車

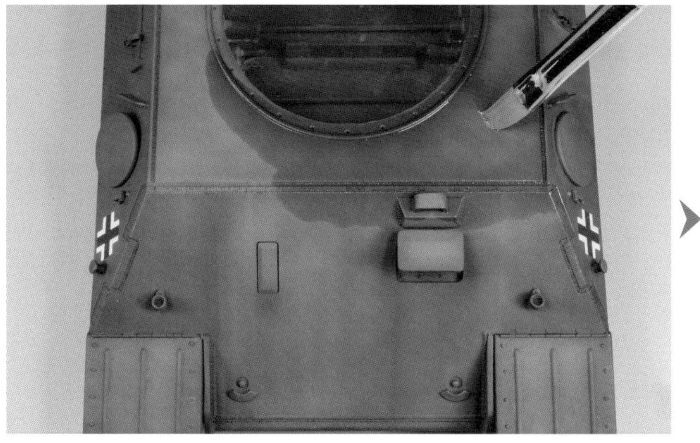

まず上面のフィルタリングから。色乗りを良くするために平筆を使って、油彩をつける箇所にシンナーを塗り、濡らしておく。

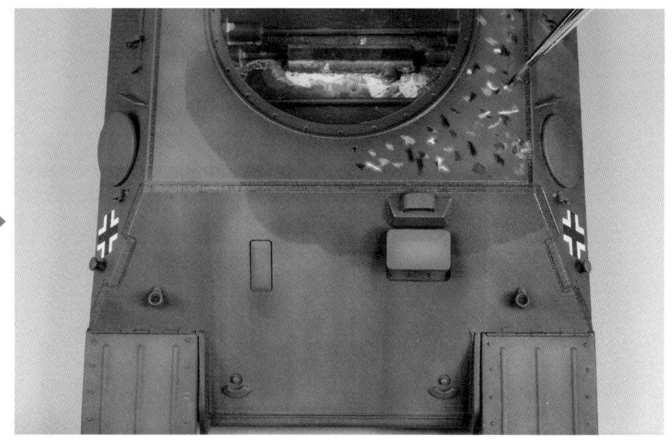

細筆を使って、各色の油彩を点づけする要領で乗せていく。

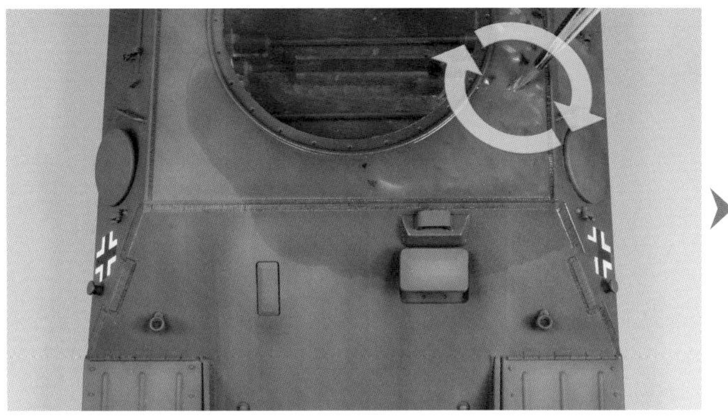

シンナーを浸した細筆を使って、油彩を伸ばしていく。色が薄っすらと残るような感じで、色調を確認しながら、円を描くように筆を運ぶ。

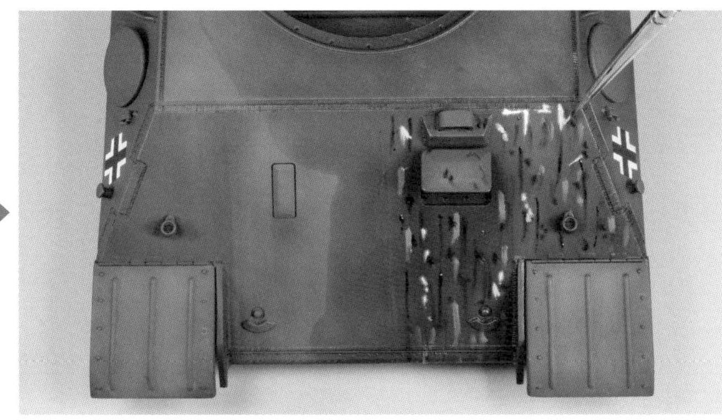

傾斜装甲部分も同様に油彩をつけていくが、上部は明色を多めに、下部は暗色を多めに色づけする。

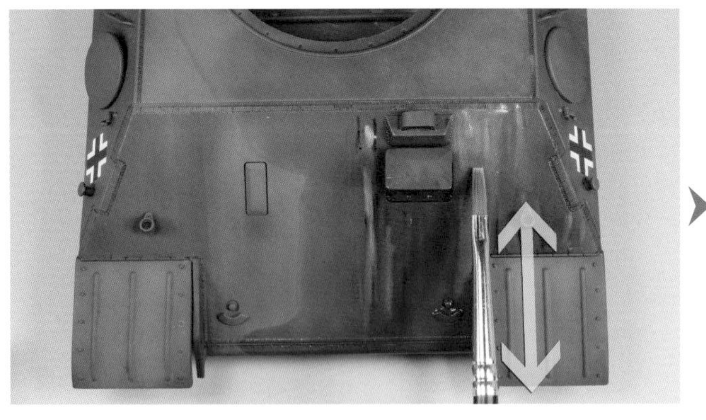

シンナーを浸した細めの平筆で油彩を伸ばす。傾斜装甲部分（および垂直面）は、上から下へと筆を動かしていく。

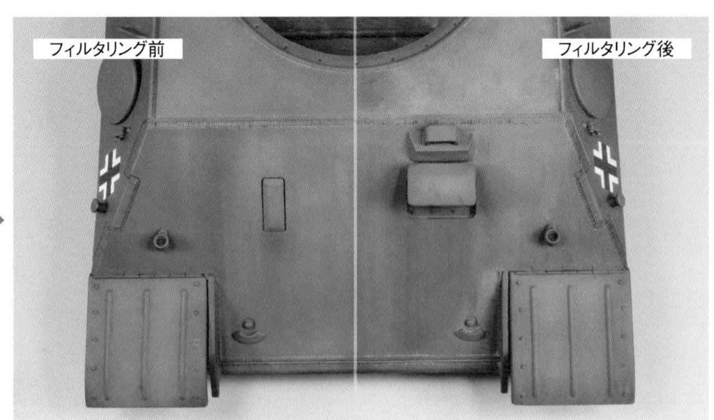

車体左側（写真では右側）のみフィルタリングを終えた状態。左右の微妙な色調変化がわかる。

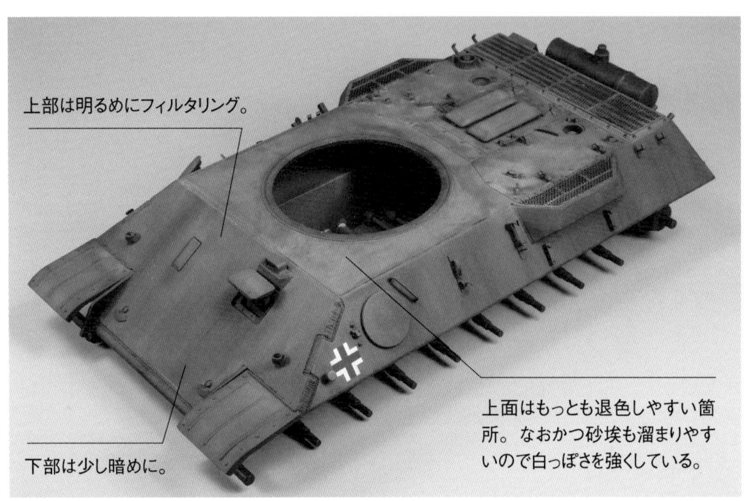

フィルタリングを終えたVK3002（DB）の車体。RAL7021ドゥンケルグラウ（パンツァーグレー、ジャーマングレー）の単色塗装だが、退色した感じや汚しを表現したことで、単調でのっぺりとした感じはなくなった。

作例2：バレンタインMk.IV ソ連軍仕様

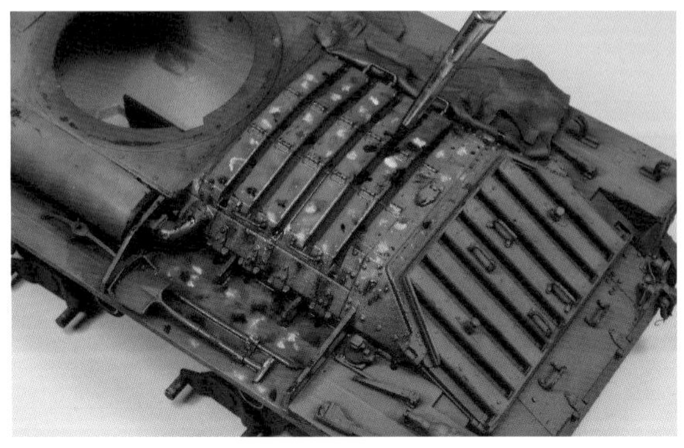

油彩は車体色に応じ、色を選んで使用する。バレンタインでは、イエロー、オレンジ、マゼンタなどの油彩を多めに使用した。

《 フィルタリングで各部に変化をつける 》

作例１：M8装甲車

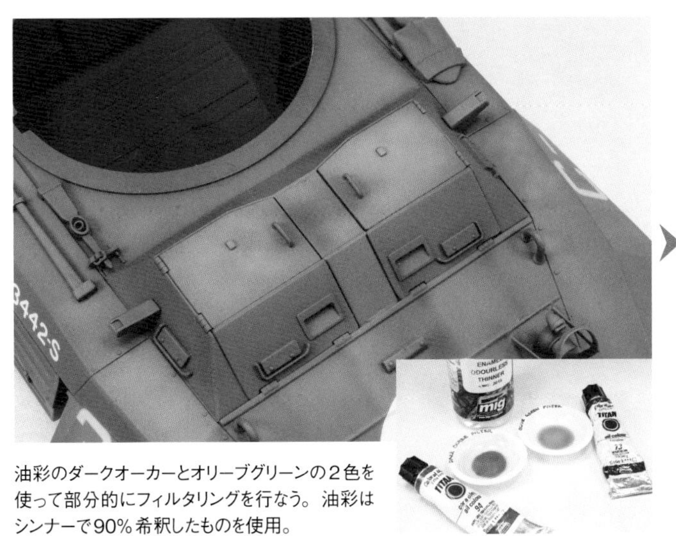

油彩のダークオーカーとオリーブグリーンの２色を使って部分的にフィルタリングを行なう。油彩はシンナーで90％希釈したものを使用。

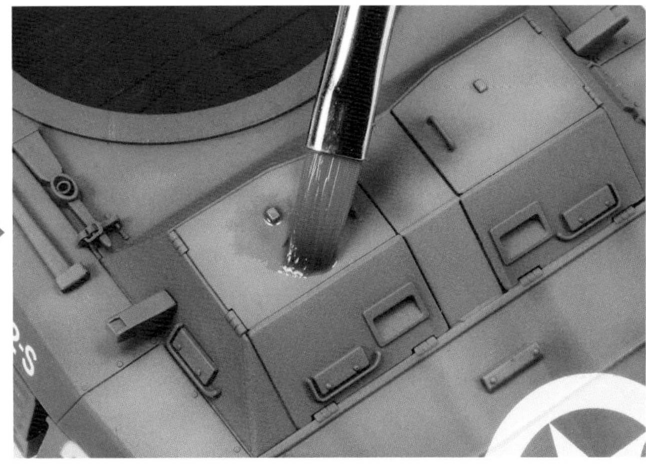

希釈したオリーブグリーンを平筆に浸し、操縦室ハッチ（前面と上面）に塗る。

さらに操縦室の中央部分には、希釈したダークオーカーを塗った。

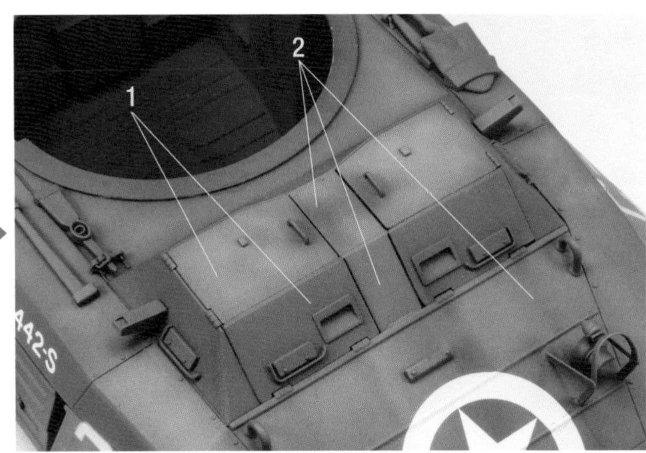

２色のフィルタリングがしっかりと乾くまで（少なくとも２時間）待ち、色のつき具合をチェック。１は最初のオリーブグリーンのフィルタリング、２は次のダークオーカーでフィルタリングした場所。

車体後部左右の雑具収納箱上面パネルにも同様にフィルタリングを実施。１はオリーブグリーン、２はダークオーカーでフィルタリングしている。

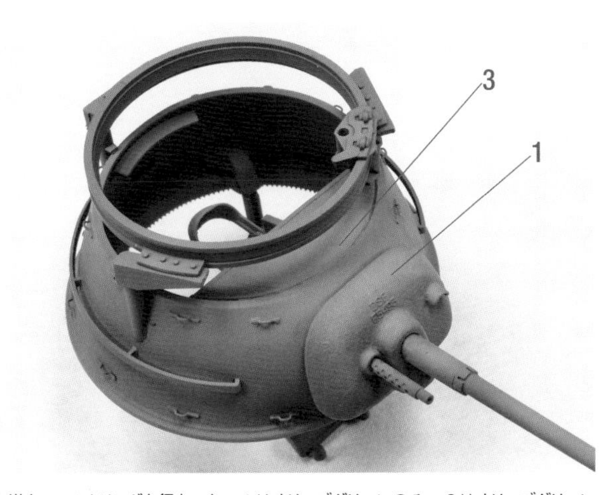

さらに砲塔もフィルタリングを行なった。１はオリーブグリーンのみ、３はオリーブグリーンとダークオーカーでフィルタリングを行なっている。

全面オリーブドラブの単色塗装の車体（砲塔も）に部分的にフィルタリングを行ない、色調に変化をつけたことにより、各パネルや構成パーツごとにメリハリがついた。

作例2：VK3002（DB）試作戦車

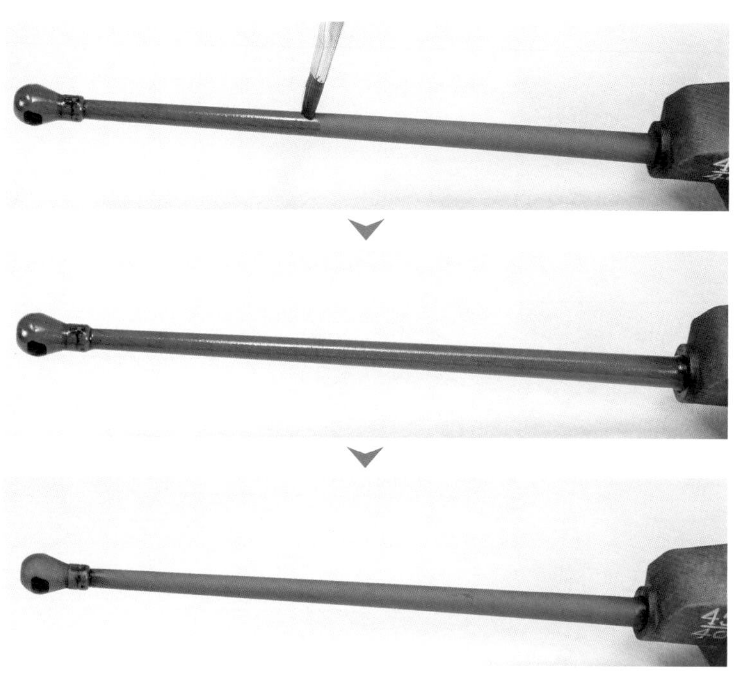

VK3002（DB）は試作戦車らしい雰囲気を出すために、砲身は車体色未塗装で、下地の耐熱プライマーを塗布した状態のブルーグレーとしている。砲身のような単色の棒状のものはやはり見た目が単調な色味になりがちである。こうした箇所にもフィルタリングを施すことで、色調に変化をつけることができる。作例は、シンナーで希釈（90%）した油彩のバーントアンバーでフィルタリングを行なった。

《 フィルタリングにより色調を統一させる 》

作例1：I号戦車A型

コントラストが強い車体色の色調をフィルタリングにより統一、調和させることも可能である。相反する明色と暗色の2色で塗られた北アフリカ戦線のI号戦車A型もシンナーで希釈した98チョコレートマットで車体全体をフィルタリングすることにより、明暗2色のコントラストを抑えることができる。

作例2：ヘッツァー火炎放射戦車

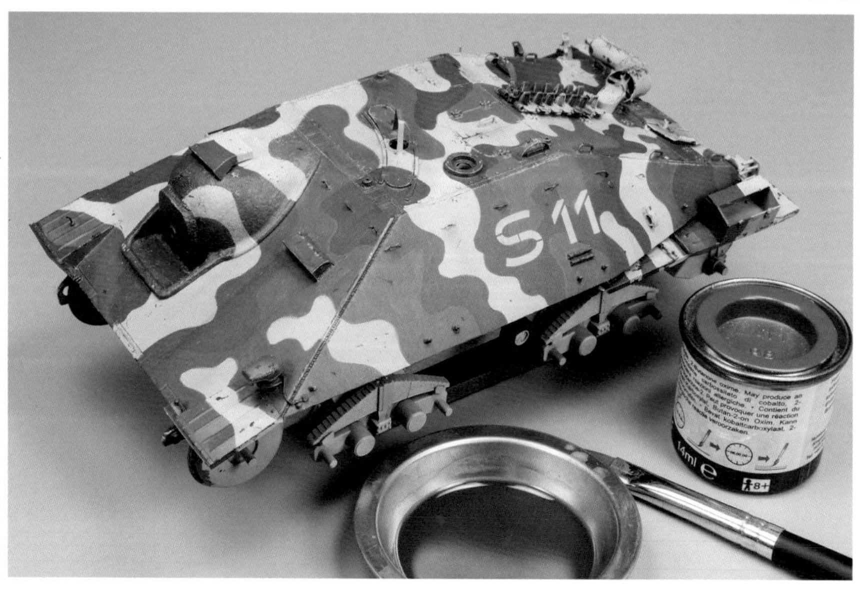

RAL7028ドゥンケルゲルプ、RAL8017ロートブラウン、RAL6003オリーフグリュンのドイツ軍3色迷彩も各色間のコントラストが大きく、特に筆塗りの場合は、オモチャっぽくなってしまうことがある。作例では、希釈したハンブロールの98チョコレートマットで車体全体をフィルタリングし、各色のコントラストを抑えた。

3-3 ダスティング

戦場で活動する戦車／軍用車両は、砂埃によって全体的に白っぽくなっていたり、雨垂れにより筋状の汚れが付着している。そうした状態は、希釈したエナメル塗料を吹き付ける方法、ダスティングで再現する。ダスティングもフィルタリングと同様に、想定する場所（西部戦線、東部戦線、北アフリカ戦線など）によって、表現方法（付着の仕方、砂の色など）を変える必要がある。

作例1：ブルムベア後期型

ハンブロールのエナメル塗料（タミヤカラーでも良い）を使用。187ダークストーンをシンナーで希釈（およそ30%：70%）し、エアブラシで砂埃を表現したい箇所に吹く。

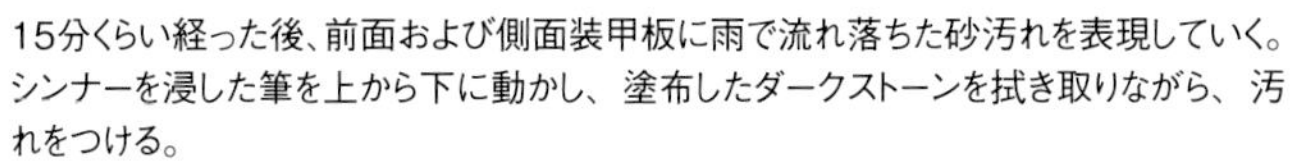

15分くらい経った後、前面および側面装甲板に雨で流れ落ちた砂汚れを表現していく。シンナーを浸した筆を上から下に動かし、塗布したダークストーンを拭き取りながら、汚れをつける。

写真は、加工した平筆を使い、細い筋状の汚れを表現しているところ。

ダスティングを終えたブルムベア後期型。上面に溜まった砂埃は、円を描くように筆を運んで表現した。

使用する筆を変えて、雨垂れ跡が単調にならないように、変化をつける。

傾斜装甲板は、雨によって付着していた砂埃が流れ落ちた状態を再現。

砂や砂埃が溜まりやすいところ。

砂埃の付着の仕方は、場所によって変化をつけることで、リアルさが増す。

機関室の隅やリアフェンダーも砂埃が目立つ箇所。

作例2：BA-10装輪装甲車

上面や隅は砂埃が溜まりやすい箇所。

砂埃を巻き上げるフェンダーにも吹く。

車体下部は少し濃いめの色を吹いておく。

ロシアの砂色を表現するために、ハンブロールの72カーキドリルと29ダークアースを使用。上部は明色のカーキドリルを、下部は暗色のダークアースを多めに調色した色を吹いている。

塗布後、15分くらい経ってからシンナーを浸した筆を使って、吹き付けた塗料を落としつつ、汚れを表現していく。

こびりついていた砂汚れが剥がれ落ちた状態に。

雨による筋状の砂汚れ。

ダスティングが完了したBA-10装輪装甲車。

BA-10装輪装甲車を別のアングルから見たところ。

作例3：ヘッツァー火炎放射戦車

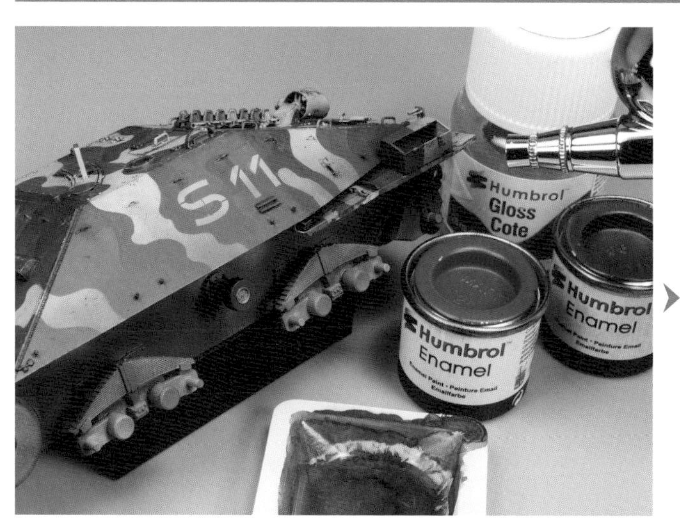

ヨーロッパ戦線の湿った土や泥による汚れを表現するために、ハンブロールの98チョコレートに少量の25ブルーとグロスバーニッシュ（湿った感じを出すため）を加えた色をエアブラシを使って、車体下部に吹いた。

シンナーを浸した筆を使って、筋状の汚れ跡を表現していく。

ダスティングが完了したヘッツァー火炎放射戦車。前に紹介した2作品と異なり、こちらは明色の砂ではなく、暗色の土や泥による汚れを再現している。

作例4：T-34中戦車

BA-10と同じソ連軍車両だが、こちらは1943年夏のクルスク戦時を表現するために、乾いて埃っぽい感じの汚れにしていく。まず、シンナーで希釈したハンブロールの29ダークアースをエアブラシで車体に塗布する。

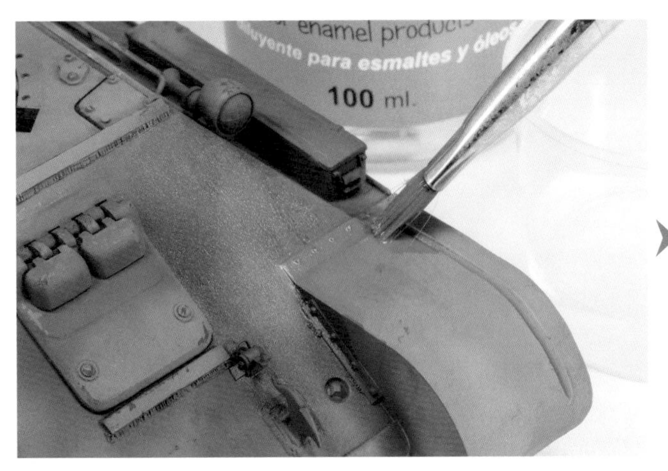

他の模型と同様にシンナーを浸した筆を使って、塗料を落としながら、汚れた感じに仕上げていく。

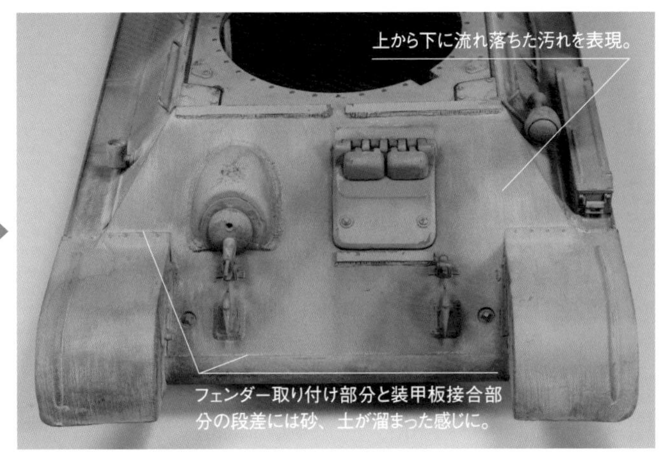

作業を終えた状態の車体前部。筆を上から下に運ぶ要領で、雨で垂れた筋状の砂、土の汚れを表現した。

車体後部と砲塔もしっかりとダスティングを行なう。車体前部と同様に場所によって汚し方を変えている。

ダスティングを終えたT-34。乾いた戦場を駆け回った車両らしく、巻き上げられた砂塵や砂埃でかなり汚れた状態に仕上げている。

3-4 ウォッシング

ウォッシングは、文字通り模型表面を洗う(ウォッシュする)ように塗料を乗せ、それを拭き取ることにより、ディテールの強調、ボリューム感の付加、さらに汚しを表現するテクニック。ウォッシングでも主に油彩(油絵具)やエナメル塗料などが使用されるが、近年は誰もが簡単に施行できるウォッシング専用剤なども多数発売されている。

《 スミ入れを行なう 》

スミ入れに使用する塗料、溶剤

油彩では、(筆者の場合)主にローアンバーをエナメルシンナーで80～90%希釈したものを使用。また、暗い箇所のスミ入れには、さらにブラックを混ぜて使用する。

エナメル塗料のブラック、レッドブラウンなどを混色して使われることが多いが、最近は写真のタミヤのスミ入れ塗料のような便利な専用塗料も発売されている。

油彩、エナメル塗料ともにタミヤのエナメル塗料用X-20溶剤を使って希釈した。

作例1：BA-10装輪装甲車

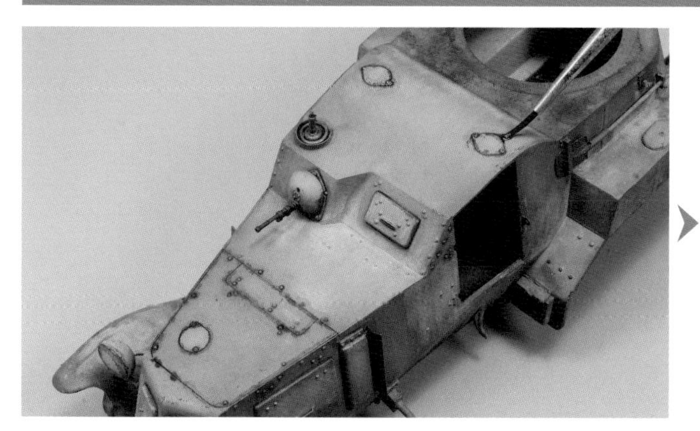

細筆を使って、溶剤で希釈したローアンバーをディテールや突起物の周囲、パネルラインなどに入れていく。

10～15分くらい経った後、シンナーを浸した平筆を使って、余分な塗料を拭き取っていく。

作例2：ブルムベア後期型

タミヤのスミ入れ塗料（ブラウン）に油彩のブラックを少量加え、若干明度を下げた塗料を使用。

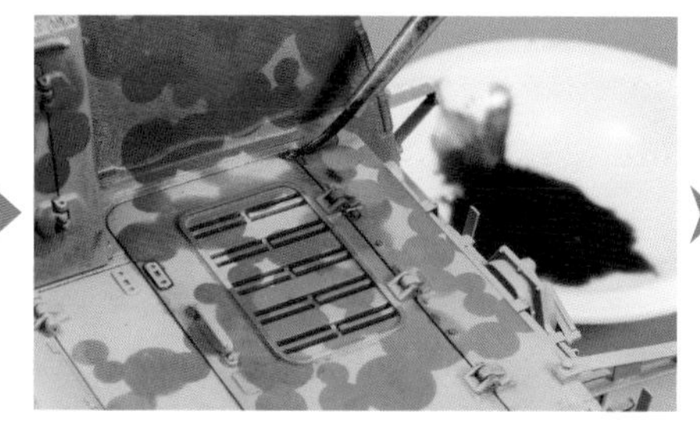

希釈したスミ入れ塗料を細筆に浸し、パネルライン、取っ手、ヒンジ、ボルトなどのディテール周囲に色づけしていく。

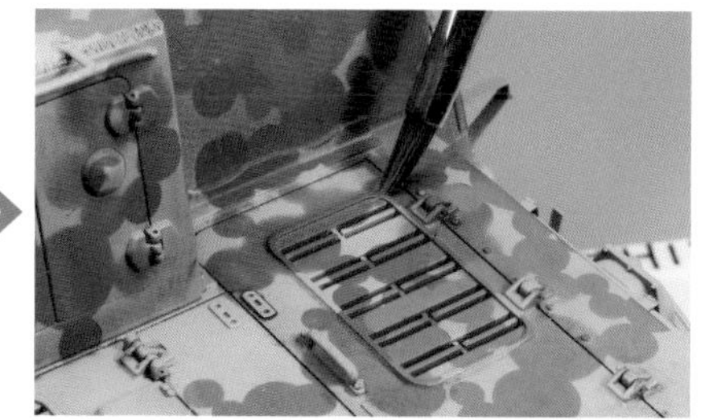

塗料が乾いた後、シンナーを浸した平筆で余分なスミを拭き取っていく。

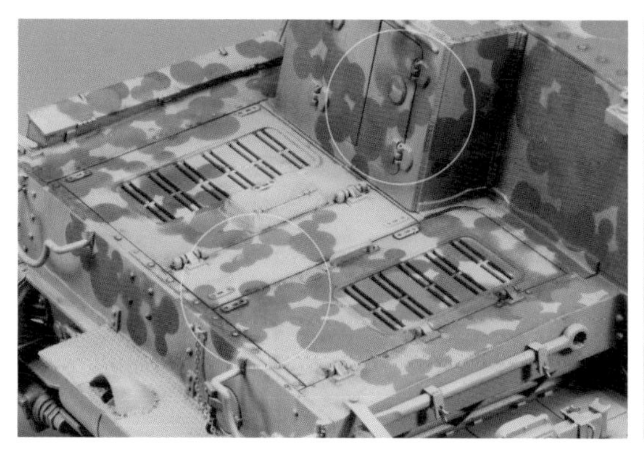

スミ入れも濃淡をつけて、色調や色溜まりが単調にならないようにする。

作例3：KV-1重戦車

細筆を使って、希釈した油彩のローアンバーをボルトやリベット、ハッチなどの周囲、パネルラインに少量色づけする。

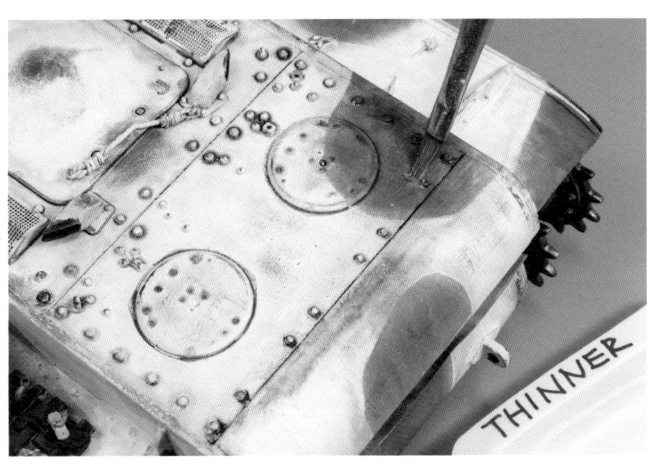

数分後、シンナーを浸した平筆で洗うように余分なスミを取り除いていく。

その後、スポンジ筆でさらに余分なスミを拭き取る。

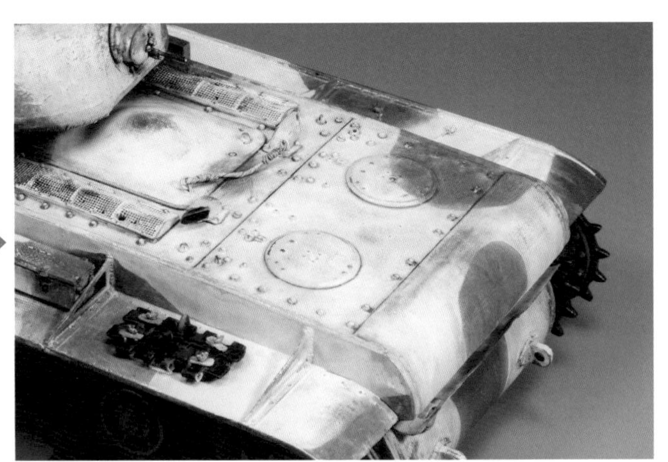
ボルトやリベット、ハッチなどの周囲、パネルラインに薄くスミが残り、各部のディテールが強調される。

3-5 チッピング（塗料が剥がれた表現）

チッピングは、塗料が剥がれた箇所を再現するテクニック。既に49ページで上塗りした塗装を剥がすやり方のチッピング方法を紹介しているが、ここでは、塗装によるチッピング方法を解説する。チッピングには、主に3通りの表現方法がある。1：ベース色（基本色あるいは迷彩色）よりも明色を使用＝浅い擦り傷や引っ掻き傷、塗料の劣化（退色）を表現。2:上塗りした迷彩色が剥がれ、下の基本色が露出した箇所の表現。3:ダークレッド色＝塗料が剥がれ、装甲板の金属地肌が露出した深い傷の表現である。

《 基本色、迷彩色表面の浅い傷 》

ブルムベア後期型を作例にドイツ軍3色迷彩にチッピングを施していく。まず、迷彩色が剥がれた箇所や基本色についた傷などを表現するため、フェレホの70. 914グリーンオーカーと70.806ジャーマンイエローを調色し、色調が異なる3種類の色を用意。

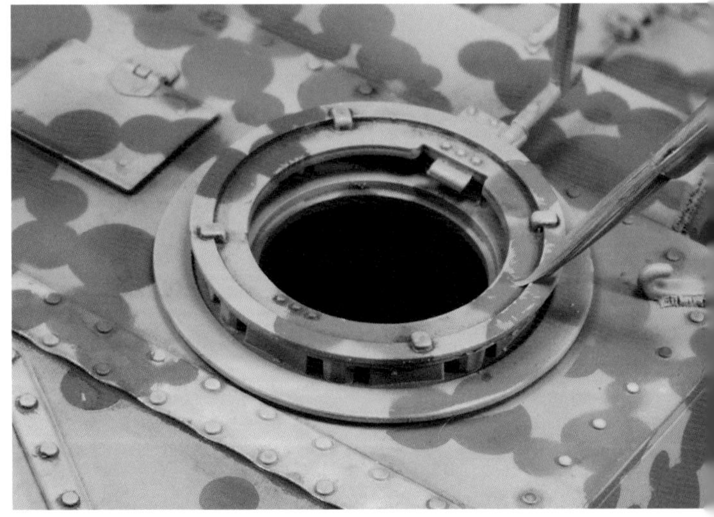
キューポラ上面のエッジ部分の迷彩色が剥がれた感じを出すために細筆を使って、基本色ドゥンケルグラウのチッピングを入れていく。

キューポラにチッピングを入れたところ。ロートブラウンとオリーフグリュンの迷彩色の一部が剥げ、下地の基本色ドゥンケルゲルプが露出した状態を再現。

細かな塗料剥がれは、スポンジに塗料をつけて行なう。スポンジを軽くトントン叩くような感じで色づけしていく。広い面にチッピングを入れる場合もスポンジを使用。

砲身上部にはスポンジでチッピングを入れた。擦れて色落ちしているような感じを出すことができる。

基本色ドゥンケルゲルプより若干明るい色を入れることによって、退色した感じを出すこともできる。

照準器スライドカバーなど頻繁に作動する箇所にもチッピングを入れ、周囲とは、若干質感を変える。

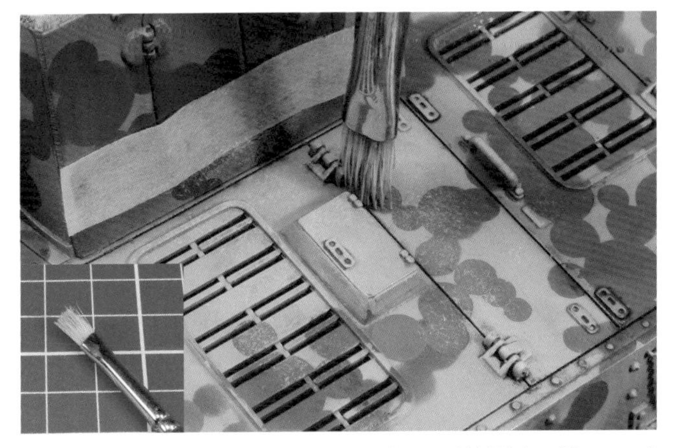

機関室上面のように乗員や整備員が頻繁に乗る箇所は、塗料剥がれが激しい。こうした箇所は平筆を使い、チッピングを行なう。

《 装甲板地肌が露出した深い傷 》

作例 1：ブルムベア後期型

塗料が剥がれ、装甲板の表面が露出した箇所は、ダークブラウンのような色を使用する。作例は、ファレホの70.985ハルレッド（もちろんタミヤカラーでも良い）を使った。

金属色の深い傷は、頻繁に擦れる箇所に入れていく。キューポラの縁や内側は、乗員が手で触れたり、服や靴で擦られる箇所。ドゥンケルゲルプの部分に色をつけていく。

機関室上面にも金属色のチッピングを加えていく。ここは、使い古し毛先が綻んだ平筆を使用。

戦闘室後面ハッチの下側も靴で踏まれ、塗料落ちが激しい箇所。ハッチに色がつかないようにマスキングした後、同箇所をチッピング。

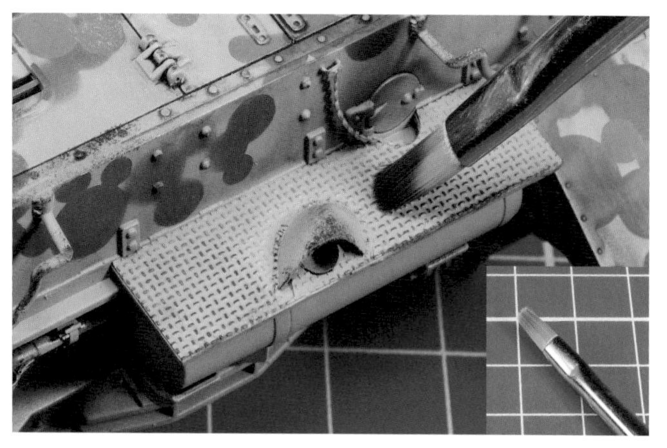

乗員が乗降するのに使われる車体後面のフットステップには平筆を使い、ドライブラシの要領でチッピングを入れる。

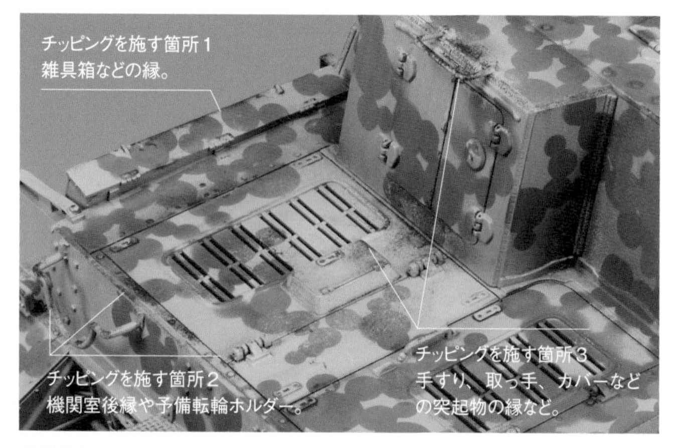

車体後部は、乗員が乗降したり、整備員が作業することにより、至るところ塗料が剥がれている。入念にチッピングを施そう。

乗員が乗降する戦闘室上面も入念にチッピングを施す。ハッチ周囲、各パネルの縁、突起部などが主なチッピング箇所。

露出した金属地肌部分の中でも特に擦られる箇所には鉛筆の芯（黒鉛）を擦り付ける。

鉛筆の芯を擦り付けた箇所を綿棒などでさらに擦る（ポリッシュする）ことで、光沢ある金属の質感を出す。

乗員が頻繁に触れる戦闘室上面の縁、手すりにも鉛筆の芯を擦り付け、光沢がある金属の質感を付加。

作例２：特二式内火艇カミ

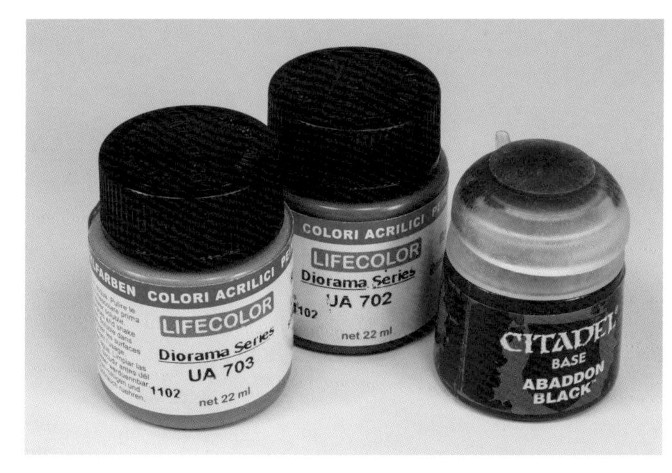

この作例では、ライフカラーの錆色塗料、UA702ラストベースカラーとUA703ラストライト・シャドー、さらにシタデルのベースコート、アバドン・ブラックを使った。

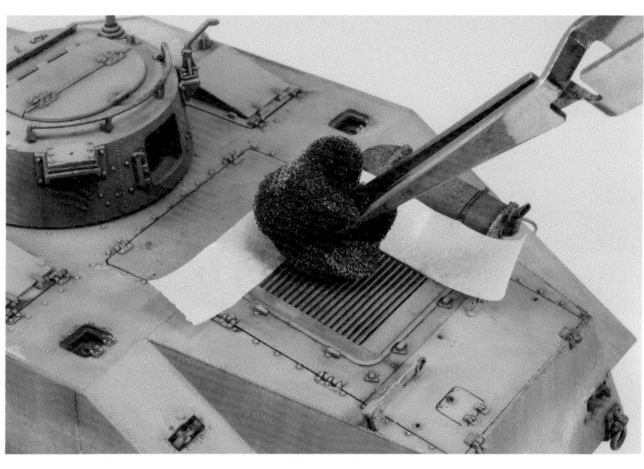

調色した色をスポンジにつけ、点づけする要領で、機関室のエンジングリルにチッピングを施す。周囲は色がつかないようにマスキングしておく。

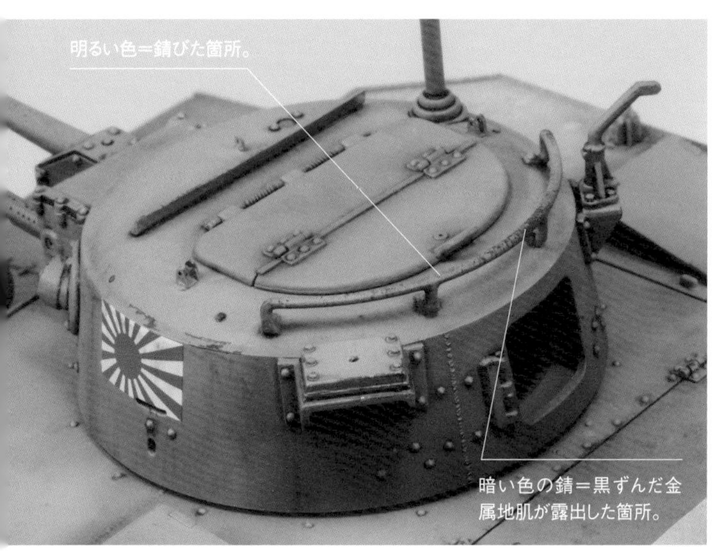

乗員が頻繁に触れる手すりにもチッピングを施す。明色と暗色を使い分けて質感の違いを表現した。

金属が触れ合うフロート固定用のアームにもチッピングを施す。

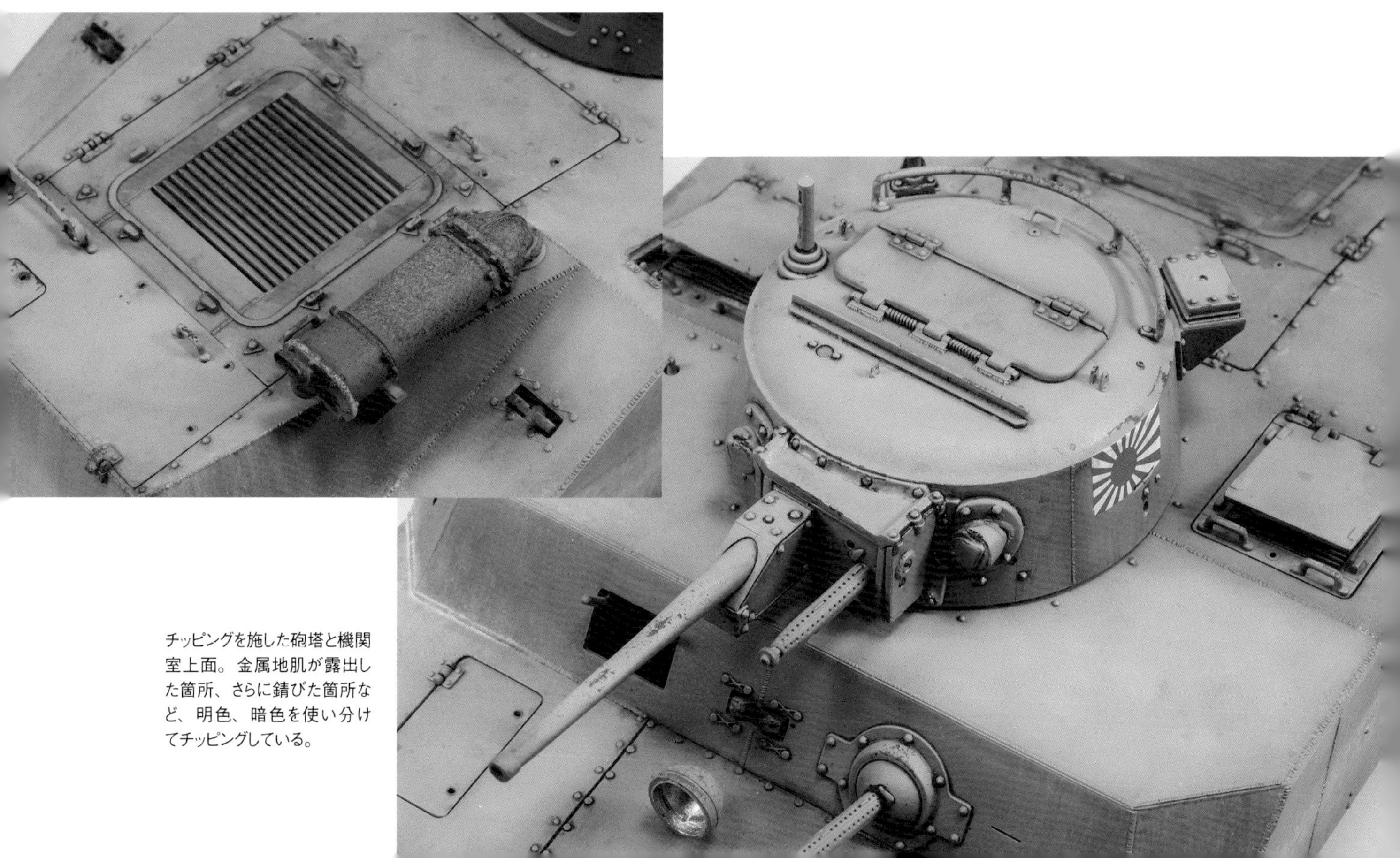

チッピングを施した砲塔と機関室上面。金属地肌が露出した箇所、さらに錆びた箇所など、明色、暗色を使い分けてチッピングしている。

《 砲塔の旋回跡を表現 》

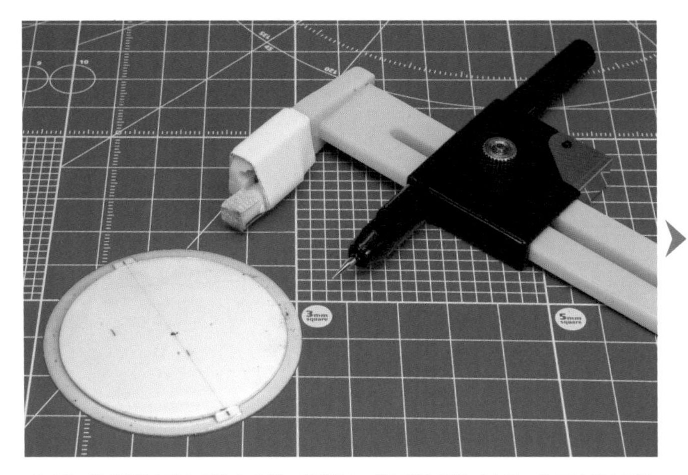

チッピングで意外と忘れがちなのが、車体につく砲塔旋回跡である。施工方法は割と簡単。砲塔の旋回半径に合わせ、プラ板で自作した円形治具とコンパスカッター（100円ショップでも入手可能）を用意。

ターレットリングにプラ板製の治具を置き、刃を取り外し、耐水ペーパーをつけたコンパスカッターで円を描くように軽くペーパー掛けすれば、塗装面にできる砲塔旋回時の擦り傷を再現できる。

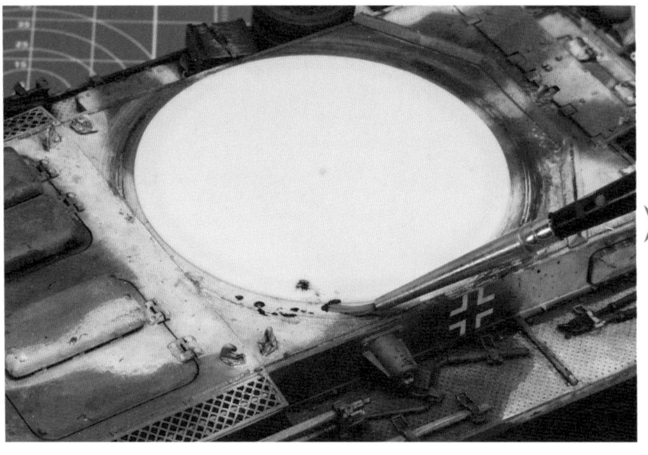

油彩のアスファルトとブラックを混ぜた色を細筆につけ、旋回跡に沿って部分的に点づけしていく。

前工程と同じコンパスカッターを回し、点づけした油彩を擦ることでチッピングを表現。

さらに旋回跡に沿って部分的にエナメル塗料のサンドカラーと土色のピグメントを点づけした後、先端にスポンジをつけたコンパスカッターを回転させ、付着した泥汚れを加える。

チッピングと汚しを加え、再現した砲塔旋回跡。

砲塔底面が真円でないIII号戦車のような場合は、模型完成後も砲塔旋回跡（丸で囲んだ部分）がしっかりと見えるので、かなり効果的な表現であることがわかる。

3-6 黒ずんだ染み汚れ

戦車を始めとする軍用車両には、汚れはつき物。ここでは、これまでに紹介したフィルタリングあるいはウォッシングを応用したテクニックを使い、車体各部につく黒ずんだ染み状の汚れを表現していく。

《 乗員による汚れを表現 》

作例1：VK3002(DB)試作戦車

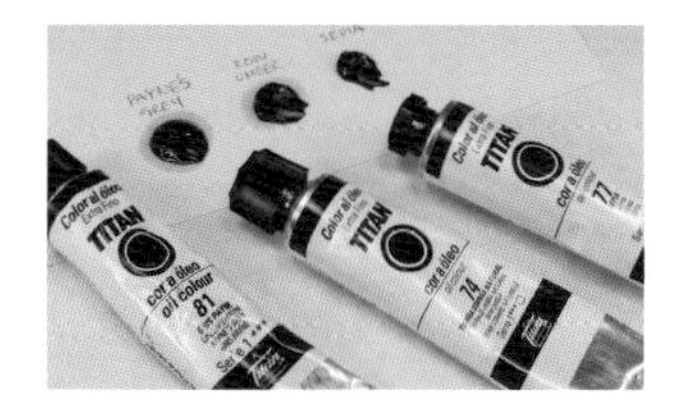

この作業では、油彩のペイングレー、ローアンバー、セピアを混ぜて使用する。

ハッチおよびその周囲など、乗員が触れる箇所に黒ずんだ汚れを加える。

まず筆を使って、汚しを施す箇所にエナメルシンナーを塗る。

乗員が触れる部分に希釈した油彩を点づけしていく。

スポンジ筆を使って、軽く拭き取り、薄っすらと色が残るように仕上げる。

作業を終えた側面ハッチ。乗員が触れるハッチの右側やその周辺の黒ずんだ汚れ跡を再現した。

反対側（車体右側）のハッチ周辺も同様に汚しを加えた。

作例2：ブルムベア後期型

乗員が頻繁に触れるハッチ周辺や手すり付近に調色した暗色の油彩を点づけする。

シンナーを浸したスポンジ筆を使って、油彩を伸ばし、薄っすらとした黒染みを表現。

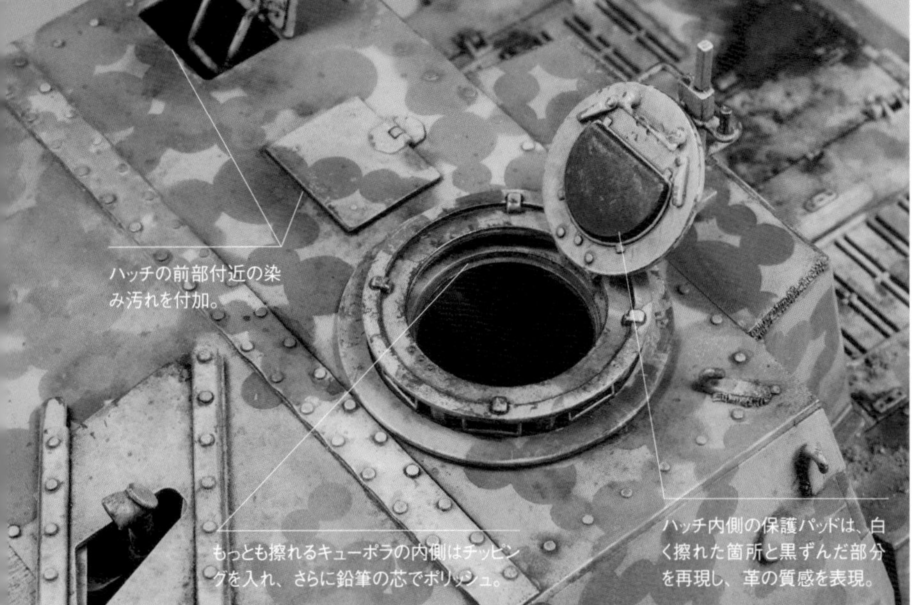

汚しを終えたブルムベア後期型の戦闘室後部。

乗員が触れる戦闘室後部ハッチの上端と内側、さらにハッチの下側にも油彩で汚しを加える。

戦闘室後部のハッチ周辺に汚しを追加したところ。

作例3：T-34中戦車

この作例では、T-34の車体色に合わせ、502アプタイルンクの油彩、シャドーブラウン、フェイデッドグリーン、ダークブリックレッドを使用。

車体前面の操縦手ハッチおよびその下部付近にエナメルシンナーを塗る。

3色の油彩を点づけしていく。

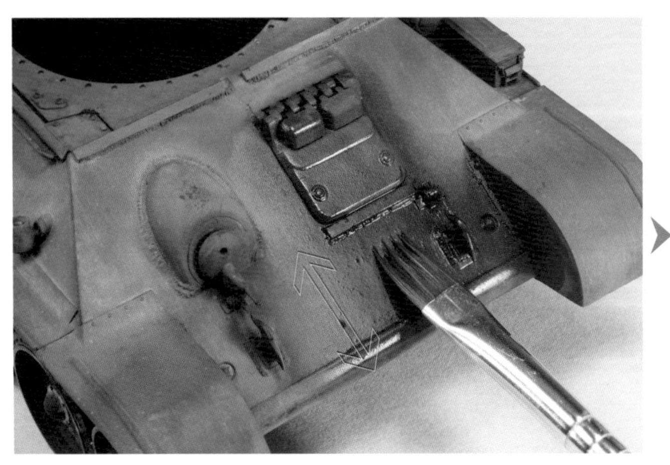

シンナーを浸した筆を使って、上から下に油彩を伸ばしていく。

油彩が乾いた後、仕上がりをチェック。乗員が頻繁に乗り降りしている感じが伝わってくる。

《 その他の汚れを表現 》

作例 1：ブルムベア後期型

タイタンの油彩ペインズグレーとセピアの混色にハンブロールのグロスバーニッシュを少量加え、エナメルシンナーで希釈したものを使用した。

希釈した油彩を細筆に浸しスミ入れし、サイドフェンダーの接続部に溜まった汚れ（汚れた水溜り、泥など）を再現する。

油彩が乾いた後、仕上がりをチェック。満足できない場合は、やり直す。

サイドフェンダーの後部も同様にスミ入れを行なった。フロントからリアすべてにスミ入れすると、逆にリアル感を損ねてしまう。
この作業は効果的ではあるが、注意深く行なうことが大事である。

作例 2：VK3002（DB）試作戦車

この作例では、油彩のローアンバーにハンブロールのグロスバーニッシュを少量混ぜて使用している。

エナメルシンナーで希釈した油彩をエンジングリル・カバーと点検パネルの間にスミ入れし、オイルが染みた黒ずんだ汚れを表現。

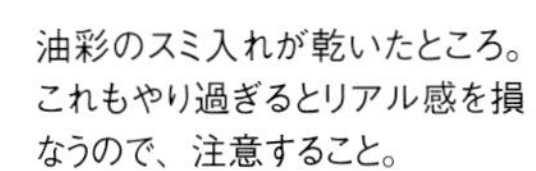
油彩のスミ入れが乾いたところ。
これもやり過ぎるとリアル感を損なうので、注意すること。

《 垂直面の筋状の汚れを表現 》

作例１：Ⅲ号戦車Ｎ型

筋状の汚れを表現するための専用塗料がいくつも発売されている。作例のようなドゥンケルグラウ（パンツァーグレー）の車体色に対応したAKインタラクティブの『PANZER GREY for STREAKING GRIME』を使用。筆を使って、縦に色づけする。

AKインタラクティブの専用エナメル溶剤ホワイトスピリットを浸した筆で、塗料を上から下に拭き取るような感じで色をつけていく。

雨などによって、付着していた砂、土、汚れが流れ落ちた跡（いわゆる“雨垂れ跡”）を表現した。

作例２：特二式内火艇カミ

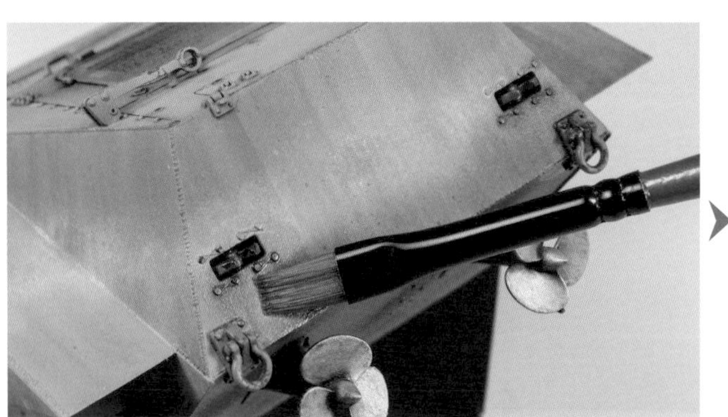

車体前後の固定アーム部から流れ落ちた汚れを表現。油彩をつける箇所をエナメルシンナーで湿らせておく。

油彩のバンダイクブラウン、マーズバイオレット、オリーブグリーン、セピアなどを調色した色を希釈せずにそのまま塗りつける。

シンナーを浸した筆を使って、油彩を溶きながら、上から下へ筆を運び、色を滲ませていく。

3-7 ドライブラシ

ドライブラシは、かつては定番中の定番として、長きにわたりモデラーたちに使われ続けてきたモデリング・テクニックである。ベース色よりも明るい色で軽くブラッシングし、エッジやディテールを引き立たせるというものだが、近年では、あまり多用されなくなってきた。しかし、部分的なウェザリングとしては今だ有効な手段と言える。

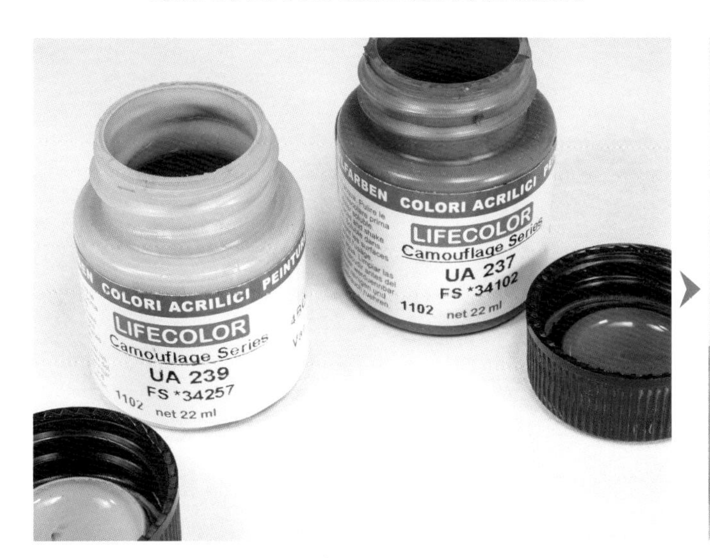

T-34の転輪にドライブラシを施す。まず、ライフカラーのUA239 4BOとUA237ダークオリーブを混色し、車体色のプロテクティブグリーン4BOより若干明るい色を作製。

調色したグリーンを平筆に取る。キッチンペーパーなどに擦り付け、色が擦れるくらいになるまで塗料を拭い取る。

微量の塗料が残った平筆で、転輪パーツの表面をブラッシングするような感じで薄く色を乗せていく。

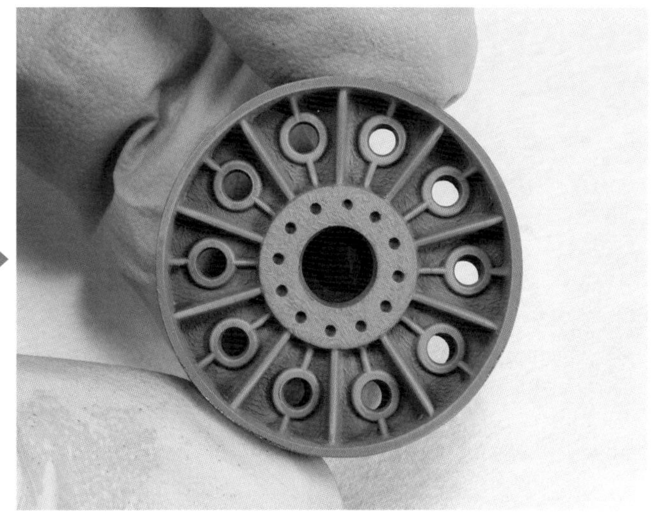

ドライブラシにより、エッジや凸部に明色がつき、ディテールが強調され、凹凸のボリューム感が増す。

左側がドライブラシを行なった起動輪。右はドライブラシを行なっていない起動輪。ドライブラシの効果がよくわかる。

履帯のドライブラシは、かなり効果的である。メタルカラーでドライブラシすることで、履帯表面が摩耗したようになり、金属らしい質感を出すことができる。

3-8 リアルに見せる泥汚れ

油彩やエナメル塗料を使用し、乾いた泥、湿った泥など、より細かな泥汚れを表現する。さらにこれまでの平面的な汚しだけではなく、ピグメントや各種マテリアルを使用した立体的な泥や土などを加え、よりリアルに見えるように仕上げていく。

《 さらに細かく汚れを付加する 》

作例 1：ブルムベア後期型

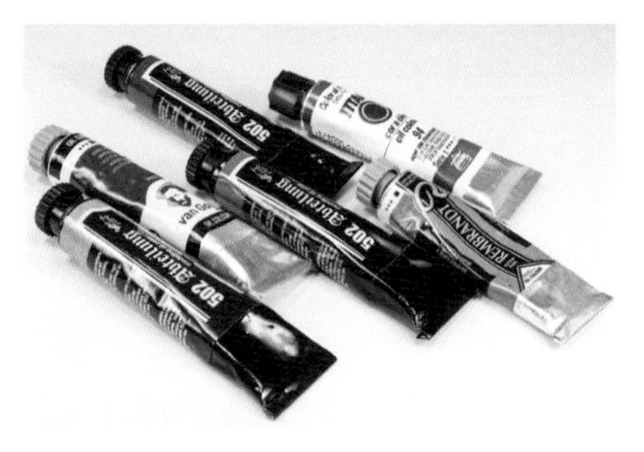

油彩を使って土、泥を表現する。写真は、作例に使用した油彩。ライトマッド、マーズバイオレット、ベーシックアース、インダストリアルアース、ウォームグレー、トランスペアレント・ゴールドオーカー。

油彩をつける箇所に前もって、シンナーを塗っておく。

エアブラシで前もってダスティング（プレ・ダスト）を施した箇所に筆で油彩各色を点づけする。

シンナーを浸した平筆（使いやすく加工）を使って、上から下へ油彩を伸ばしていく。

油彩が乾いた後、仕上がりをチェック。満足できるまで繰り返し行なう。

戦闘室側面も前面と同様に油彩を加えて、作業を行なう。斜め破線の下方に油彩を多くつけた。

シンナーを浸した筆で上から下へ油彩を伸ばす。写真は作業を終え、油彩が乾いた状態である。

ダスティングしてない箇所の迷彩色部分に少量の油彩をつけて、コントラストを抑え、自然な感じになるように調整。

作例2：I号戦車A型

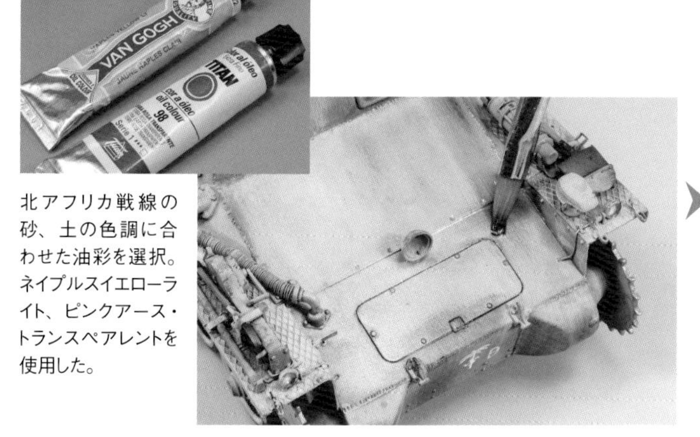

北アフリカ戦線の砂、土の色調に合わせた油彩を選択。ネイプルスイエローライト、ピンクアース・トランスペアレントを使用した。

前もって、油彩をつける箇所をシンナーで濡らしておく。

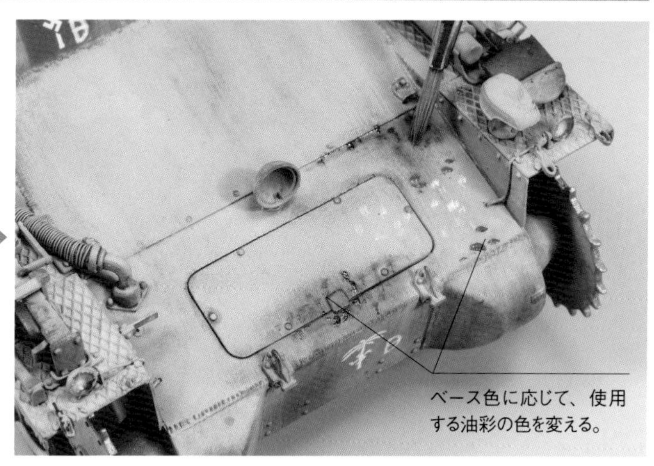

上塗りのサンドカラーの箇所には前述の2色の油彩を、基本色RAL7021ドゥンケルグラウの箇所にはペインズグレーを点づけする。

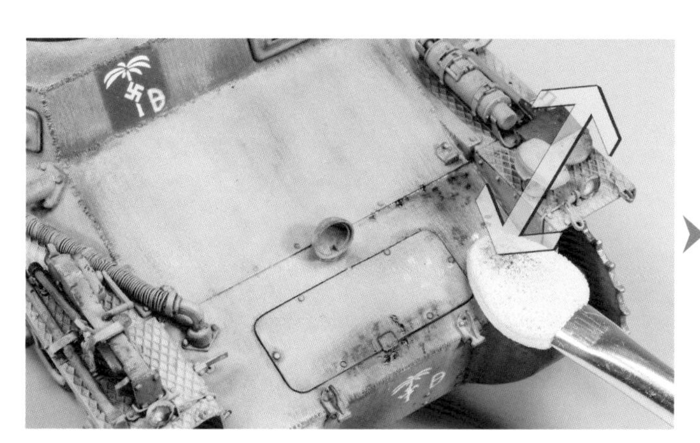

シンナーを浸したスポンジ筆を使って、油彩を伸ばしつつ、垂直方向にも筆を運び、フェンダー内側にも色を載せる。

操縦室前面装甲板下の接合部分に砂が溜り、そこから汚れが流れ落ちたような感じを出すために、接合部分に油彩のネイプルスイエローライト、ピンクアース・トランスペアレントを点づけした。

シンナーを浸した平筆（筋状に拭き取れるように筆先を加工したもの）で油彩を上から下へ伸ばしていく。

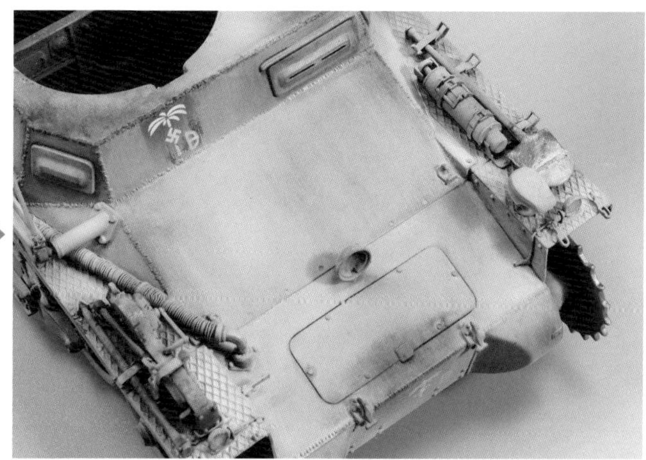

油彩が乾いた後、仕上がりをチェックする。

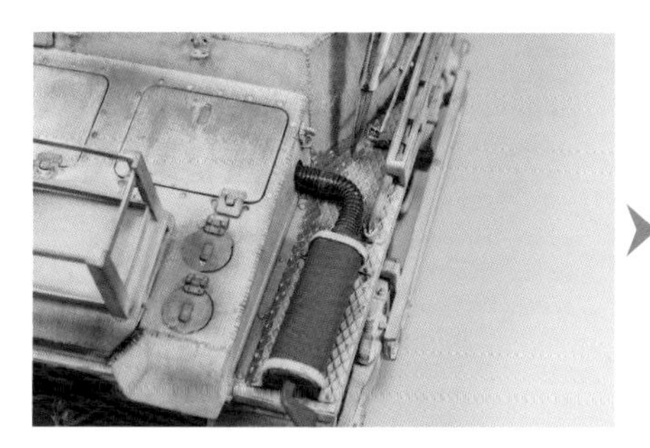

フェンダー後部、排気管周辺の錆汚れも油彩で表現。シンナーで希釈したピンクアース・トランスペアレントをフェンダーの接合部周辺に塗る。

シンナーを充分に浸した太筆で油彩を伸ばす（溶く）。

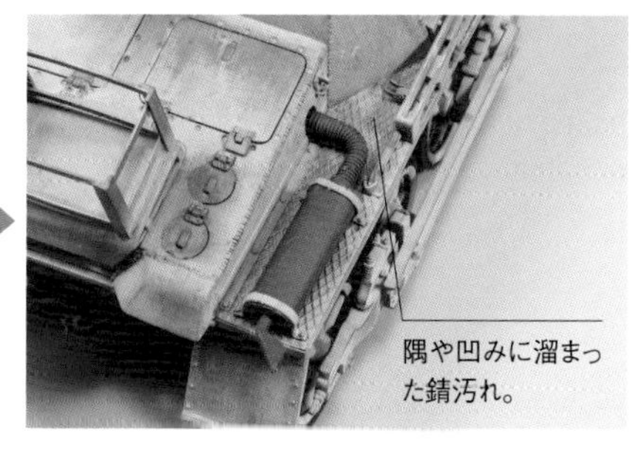

油彩が乾くと、流れた錆がフェンダー上に溜まったような感じに仕上がる。

シンナーで希釈(20%:80%の割合)した油彩(ライトマッドに少量のネイプルスイエローレッドを加えた)を上面に塗る。

砲塔上面や車体上面に薄っすらと溜まった砂埃を表現した。

さらに同じ油彩をリアフェンダー(マッドガード)にも塗布する。

油彩が乾いた後。リアフェンダーに付着した砂埃、さらにリベットや下端のリブに溜まった砂も表現している。

作例3:T-34中戦車

502アプタイルンクの油彩ライトマッドにハンブロールのエナメル塗料72カーキドリルを加え、シンナーで希釈したもの(40%:60%の割合)を使用。

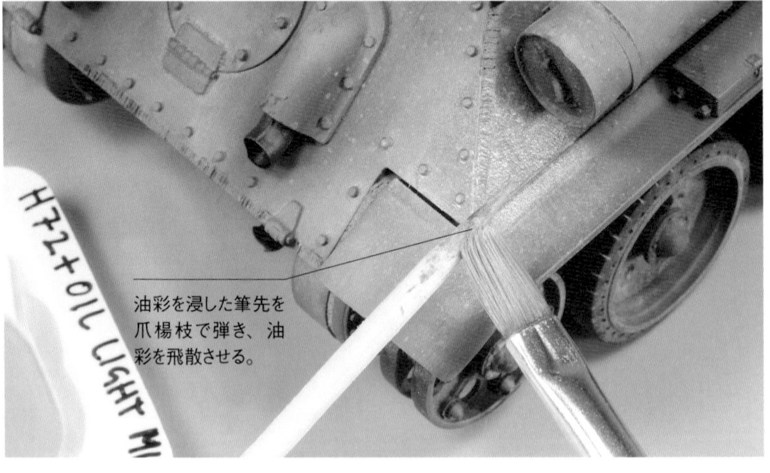

いわゆる"スプラッシュ"テクニックを使って、履帯が跳ね上げた泥汚れを表現。油彩を浸した平筆の筆先を爪楊枝で弾き、車体後部リアフェンダー(マッドガード)付近に油彩を飛散させる。

スポンジ筆を使って、余計なところに付着した油彩を取り除く。

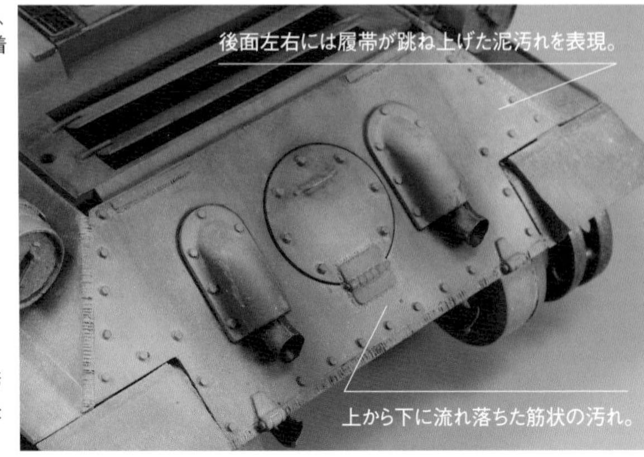

泥跳ねにより、汚れた感じを加えた車体後面。

作例4：パンター G型 ポーランド軍鹵獲仕様

AKインタラクティブのウェザリング専用エナメル塗料、アース・エフェクツとサマー・クルスクアースを使って、縦筋状の汚れを加える。

AKインタラクティブの塗料を塗り、数分くらい経った後、シンナーを浸した筆で色を均していく。

汚しを終えた車体側面。作例では、専用塗料を使用したが、専用塗料を用いなくとも油彩やエナメル塗料でも同様の効果を得ることができる。

《 ピグメントを使った様々な泥汚れ 》

作例1：KV-1 重戦車（フェンダーに積もった土、泥）

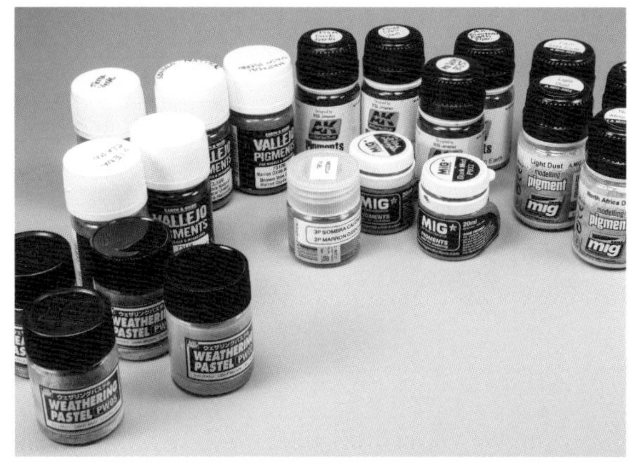

泥汚れの再現でもっとも多用されているのがピグメント。各メーカーから様々な色の製品が発売されている。

作例では、アモMIGのモデリング・ピグメント、A.MIG-3029ウィンターソイルを使用。ピグメントを筆に取り、フェンダーに付着させる。

アモMIGのピグメント定着液を筆に浸し、爪楊枝の上でシゴようにしてピグメントの上に垂らしていく。

ピグメントを使って、フェンダー上に溜まった土、泥を表現。ピグメントは定着液で固着させた。

作例2：BA-10装輪装甲車（飛び跳ねた土、泥）

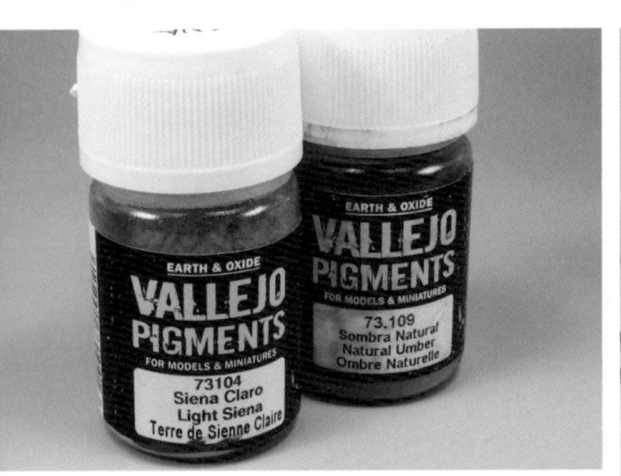

この作例では、ファレホのピグメント、73.104ライトシェンナと73.109ナチュラルアンバーを混ぜたものを使った。

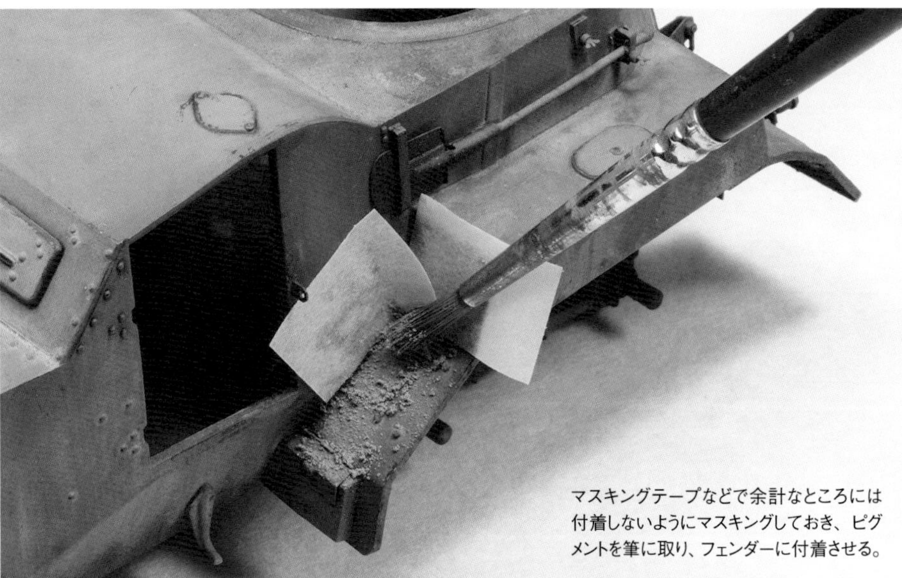

マスキングテープなどで余計なところには付着しないようにマスキングしておき、ピグメントを筆に取り、フェンダーに付着させる。

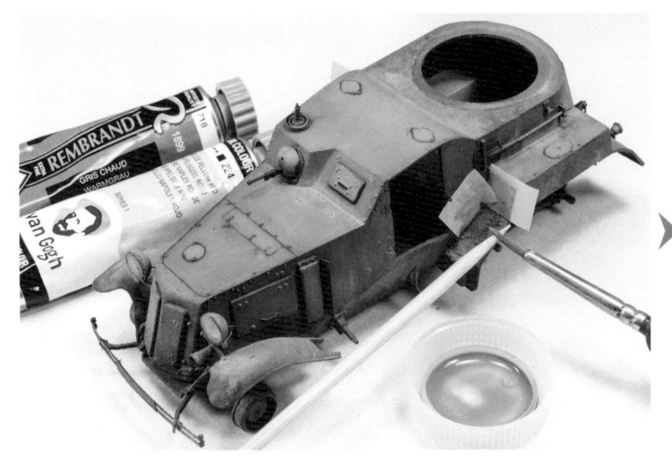

油彩のウォームグレーとネイプルスイエローを混ぜたものをシンナーで充分に希釈。それを筆に浸し、爪楊枝の上でシゴくようにして、ピグメント上に垂らす。

希釈した油彩でピグメントを固着させる方法で、フェンダーに付着した土、泥汚れを再現した。

作例3：特二式内火艇カミ（車体下部の汚れ：太平洋戦線）

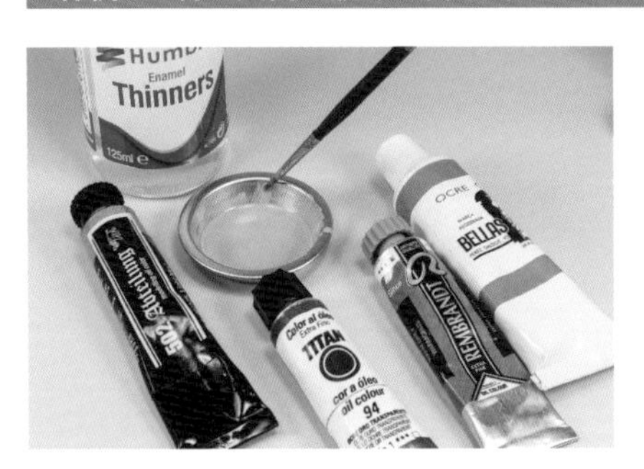

太平洋の島々の砂、土の色に合わせ、油彩は明るい砂色に調色し、シンナーで希釈した。

ピグメントは、アモMIGのヒーチサンドとライトダスト、さらにファレホのグリーンアース、AKインタラクティブのライトダストを混ぜたものを使用。

車体下部は、まだ前工程のエナメル塗料によるダスティングを終えた状態のまま。

充分に希釈した油彩をつけた筆先を爪楊枝で弾き、車体下部側面に油彩を飛散させる。明るい砂色と茶色の土色の2色を使った。

筆を使って、少しずつピグメントを付着させていく。

平筆に希釈した油彩を浸し、ピグメントを湿らせるように塗っていく。

油彩が乾き、ピグメントが固着した車体下部。砂浜の砂と島の内陸の土がついた状態に仕上げた。

作例4：ブルムベア後期型（車体下部の汚れ：ヨーロッパ戦線）

ファレホのピグメント、73.109ナチュラルアンバーと73.104ライトシェンナ、さらにGSIクレオスのウェザリングパステル、PW01ダークブラウンを混ぜ、暗めの泥を作製する。

さらにAKインタラクティブのウェザリング専用エナメル塗料、ダークマッドも用意。取り皿に取り、シンナーで希釈して使用。

まず、シンナーで充分に希釈したAKインタラクティブのダークマッドを車体下部に塗りつける。

ピグメントを筆に取り、車体下部に付着させていく。

AKインタラクティブのダークマッドを平筆に浸し、爪楊枝で筆先を弾き、塗料をピグメント上に飛散させていく。

エナメル塗料のダークマッドが乾くことで、ピグメントが固着される。

さらに同様の方法で、暗めに調色したピグメントを上に乗せていく。

GSIクレオスのウェザリングカラー、WC02グランドブラウンにハンブロールのグロスバーニッシュを混ぜた塗料を部分的に塗布し、湿った泥を表現する。

土、泥の色に変化をつける。

サンペンション基部の泥は湿った感じに。

車体下部に泥汚れを施したブルムベア後期型。土、泥のつき方(塗料とピグメントによる表現)や色調に変化(明るい土、暗い土、さらに湿った泥)をつけている。

作例5：I号戦車A型(車体下部の汚れ：北アフリカ戦線)

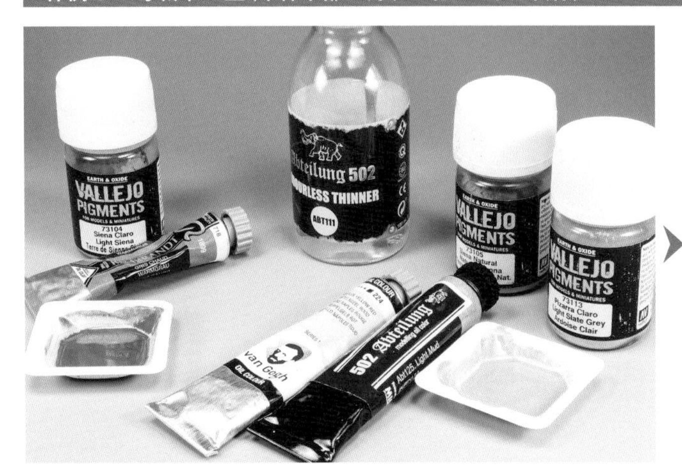

この作例では、乾いた砂、土を表現するため油彩とピグメントは明色を用いた。

シンナーで希釈した2色の油彩、ウォームグレーとネイプルスイエローレッド+ライトマッドの混色を使って、車体下部と足周りをウォッシング。

油彩が乾く前に調色したピグメントを付着させた。北アフリカの乾いた砂、土を表現するためピグメントの使用は控えめである。

砂漠地帯の砂は、粒子が細かく、乾いているので、ピグメントは少なめに。

作例6：KV-1重戦車（車体下部の汚れ：東部戦線冬季）

AKインタラクティブのダークアース、MIGプロダクションのヨーロッパダスト、ファレホのナチュラルアンバー、さらに泥にボリュームをつけるためプラスター（石膏）も用意。これらを容器の中でしっかり混ぜ合わせたものを車体下部につけていく。

AKインタラクティブのウェザリング用エナメル塗料、フレッシュマッドと502アプタイルンクのインダストリアルアースを混ぜ、シンナーで希釈。それを浸した太筆の筆先を爪楊枝の上でシゴいて、ピグメントの上に塗料を垂らしいく。

塗料が乾き、ピグメントが固着した後、さらにフレッシュマッドに油彩のランプブラックとハンブロールのグロスバーニッシュを混ぜ、シンナーで希釈した色をサスペンション基部など部分的に塗り、湿った泥も表現する。

土、泥は暗めの色。場所によって色調を変えた。

冬の東部戦線らしく、車体下部に付着した泥汚れは、暗色で施し、さらに部分的に湿った感じに仕上げている。

冬季らしく部分的に湿った泥も再現。

《 より立体的な泥汚れを表現 》

立体的な泥は、容器の中でピグメントとプラスター、アクリルジェルを混ぜ合わせて作ることができる。

均一になるまで充分に練り合わせた泥をI号戦車A型の起動輪内側に塗りつけているところ。

一方、パンターG型のような大型車両では、均一に混ぜた泥を塗ると、リアルさにかける。そこで、大まかに混ぜ、粒が大小混在した状態のものを車体側面下部に塗っていく。

部分的にグリースなどの油汚れを表現するためにマイクロスケールのマイクロフラットを塗る。

さらにシンナーで希釈したタミヤアリル塗料のX-19スモークを塗装。

泥がすっかり固まったところ。泥のボリュームは充分だが、この状態では泥の色が単調でリアルさに欠ける。

シンナーで希釈したハンブロールのエナメル塗料98マットチョコレートと29マットダークアースを部分的に吹き、泥の色調に変化をつける。

車体側面下部の泥づけが終わったら、次は車体前面下部へ。同じ泥を塗った後、さらにピグメントを追加。

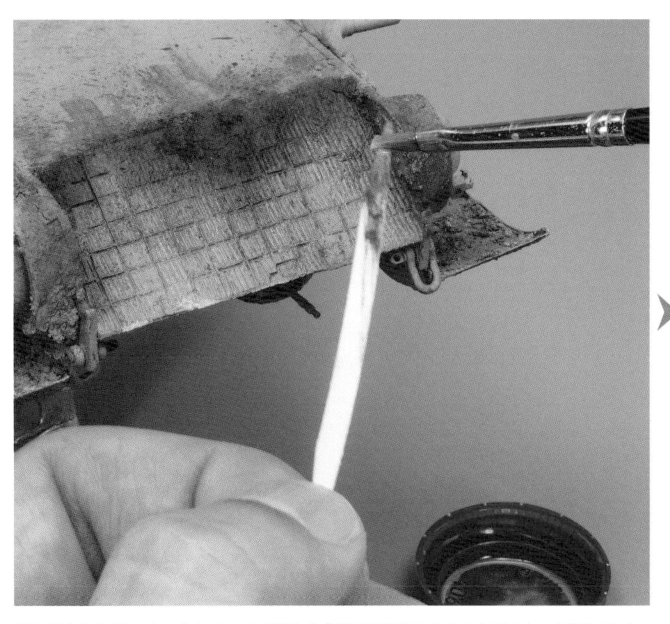

泥と似た色に調色し、シンナーで希釈した油彩をピグメントの上に垂らし、固着させた。

車体後面下部およびゲペックカステン底面にも泥を塗る。さらにAKインタラクティブのウェザリング専用エナメル塗料、アースエフェクトを塗った。

エナメルシンナーを浸した筆を使って、アースエフェクトを馴染ませ、汚れた感じを整える。

作業を終えた車体後面。泥汚しの後にオイル、グリースなどの汚れも付加している。

3-9　オイル、グリース、燃料の汚れ

戦車や軍用車両は砂、土、泥、錆などによる汚れの他にオイル、グリース、燃料などの染み跡やこぼれた跡が機関室上面や各種ハッチ、注入口周辺など至るところに見られる。模型にリアリティを持たせるのであれば、それらの汚れも再現しなければならない。

作例1：BA-10装輪装甲車

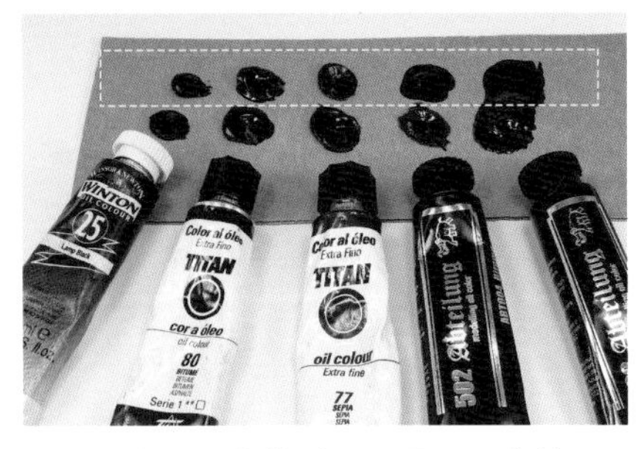

オイル、グリース、燃料の汚れ再現には、油彩のランプブラック、ビチューム（アスファルト）、セピア、エングリースなどを使用した。

油彩のビチュームとセピアを混ぜ、シンナーで希釈した色を用い、染み出たグリースや溢れた燃料の跡を再現。

また、写真のように同油彩を浸した筆先を爪楊枝で弾き飛ばすことによって、オイルが垂れた状態も表現できる。

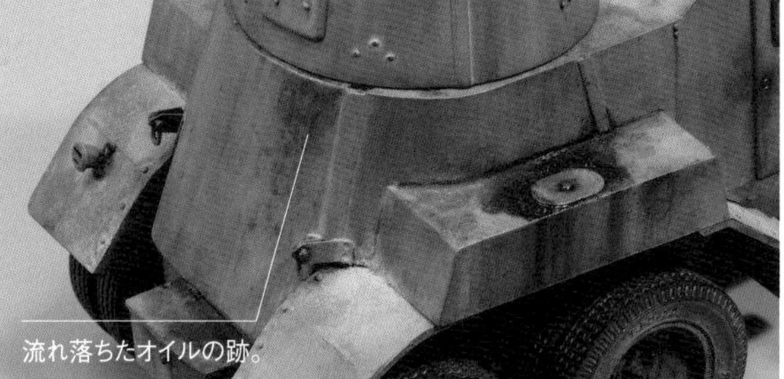

ターレットリング周囲に染み出たグリースや後部フェンダー上の燃料キャップ周囲に溢れた燃料の汚れを再現した。

作例2：ブルムベア後期型

希釈した油彩を使って、機関室パネル上に整備時に溢れたグリースやオイルによる汚れを加える。

ファレホのピグメント、バーントアンバーを機関室上面につける。

希釈した油彩のビチュームを塗り、ピグメントを固着させる。

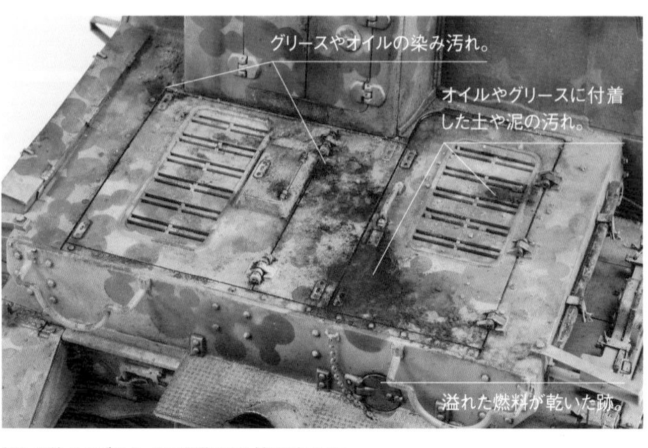

汚しを終えたブルムベア後期型の機関室上面。

作例3：KV-1重戦車

燃料注入口（車体前部上面2箇所）の汚れを表現。まず、ファレホのピグメント、73.108アイアン・オキサイドブラウンと73.110カルシウムシャドーを混ぜたものを燃料注入口に塗布する。

油彩のビチュームとブラックを混ぜてシンナーで希釈したものをピグメントの上に垂らし、固着させる。

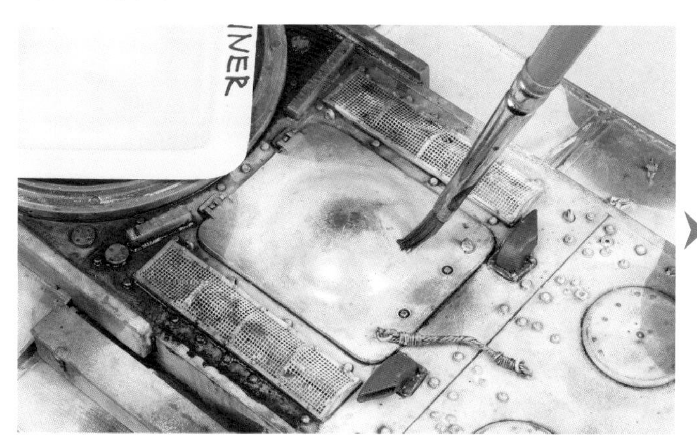

エンジン点検ハッチに汚しを加える前に同箇所にシンナーを塗り、濡らしておく。

シンナーで希釈した油彩のビチューム+ブラックの混色を“スプラッシュ”テクニックで飛散。点検ハッチの後部には色がつかないように紙などでガードしておく。

筋状の汚しに適用できるように平筆を加工した。このように加工した筆は、ダスティング、フィルタリングなどにも使用できる。

加工した筆にシンナーを浸し、油彩のビチューム+ブラックを伸ばしながら、オイルで汚れた跡を薄っすらとつける。

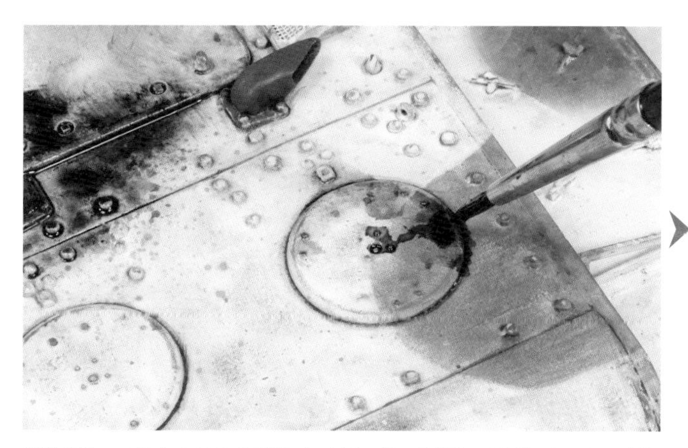

円形点検ハッチにもオイルによる汚れをつける。筆で油彩をつけた後、シンナーで拭き取り、汚しを表現する。

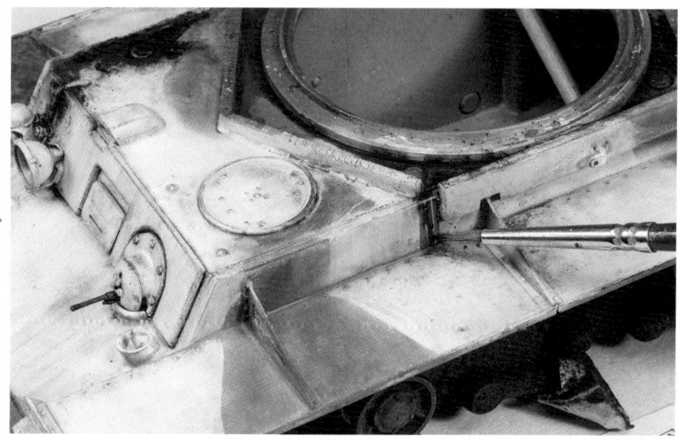

希釈した油彩のビチューム+ブラックで、砲塔リング用跳弾ブロック左側の裏側にある燃料注入口からこぼれ落ちた汚れを表現する。

薄っすらとついたオイル汚れ。
オイル染みによる汚れ。
オイルやグリースによる汚れ。

油彩を使って、車体各部にグリース、オイル、燃料による汚れ跡を施したKV-1重戦車。

作例4：T-34中戦車

油彩のエンジングリース、ランプブラック、ビチュームを混ぜ、シンナーで希釈したものをサスペンションアームの基部に塗布し、染み出たグリースを表現。

車体下部左右両側。油彩、エナメル塗料、ピグメントによる泥汚れに加え、油彩を使って、染み出したグリースによる汚れも再現した。

希釈した油彩のビチュームを使って、機関室のオイル、グリースの汚れ、さらに外部燃料タンク注入口周囲にこぼれた燃料の汚れなども表現する。

汚しを終えたT-34の機関室。機関室上面は、乗員や整備員が作業を行うので、様々な汚れがついている。

作例5：その他の車両

作例は、I号戦車A型。ファレホのピグメント、73.108アイアン・オキサイドブラウンと73.110カルシウムシャドーを混ぜたものを燃料注入口に塗布する。

油彩のビチュームとブラックを混ぜてシンナーで希釈したものをピグメントの上に垂らし、固着させる。

油彩が乾いたところ。燃料汚れに砂がこびりついたような感じに仕上げた。

同様にしてヘッツァー火炎放射戦車も燃料、オイル、グリースの汚れを施した。

パンターG型の機関室上面。燃料、オイル、グリースなどの汚れ（黒っぽい箇所）を施している。単調になりがちなRAL7028ドゥンケルゲルプ単色の車体には、こうした汚しは完成度を高めるのに重要な作業と言える。

3-10　付着したゴミなどの表現

これまで、油彩、エナメル塗料、ピグメントなどを活用し、砂、土、泥、さらにグリース、オイル、燃料などの汚しを施してきた。しかし、戦場で活動する車両には、草や落ち葉、小枝、さらに大小様々なサイズの泥の固まり、石なども付着している。そうした"ゴミ"も再現することで、よりリアルに見せることができる。

まずベースとなる泥を作製。各種各色のピグメントやエナメル塗料、プラスターを混ぜ合わせ、製作する模型（設定の戦域、季節）に合わせた泥を作る。

各種混ぜ合わせ作った泥を一旦乾かし、固まったものを細かく砕いていく。

細かく砕いて作成した、砂、泥の固まり。大小様々なサイズの塊を作っておく。

小さな草やディオラマ用の各種素材（草、小枝など）を用意する。

ファレホの70.967オリーブグリーン、70.880カーキグレーを容器の中で混ぜ、シンナーで希釈。それに草、小枝などを加えた。

1/35の葉を自作するなら、グリーンスタッフワールドのパンチング工具（日本でも入手可能）がおすすめ。実物の葉や色紙などに押し当てることで、一度に4種類の葉（上面に形状を示したプリントあり）を型抜きできる。

作例1：T-34中戦車

上記の方法で、色調が異なる泥の塊をいくつか用意する。写真はファレホのピグメント、グリーンアース、ライトシェンナ、ナチュラルアンバーで作製した。

自作した泥の塊をフェンダーに載せていく。調色スプーンなどを使用すると塊を壊すことなく作業ができる。

さらに草や葉などのゴミも乗せる。

AKインタラクティブのグラベル＆サンド・フィクサー、アモMIGのピグメント・フィクサーなどの専用定着液を使って、フェンダーに載せた泥、ゴミなどを固着する。

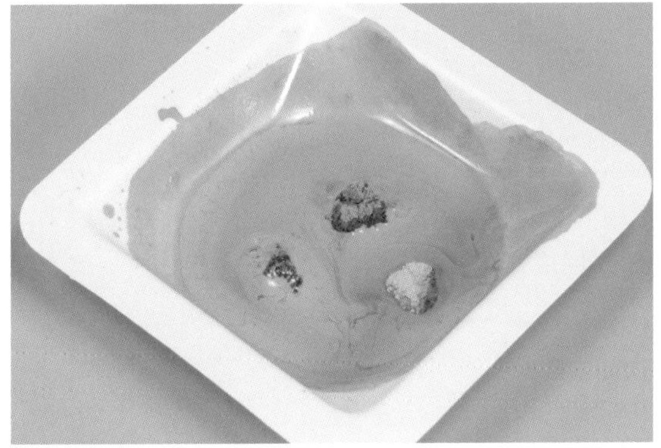

さらにピグメントを加えた油彩で泥を作り、フェンダー上の草や葉の上、さらに雑具箱、ノコギリ固定具など細部にも付着させた。

車体右側に付着した泥、ゴミの様子。こうしたゴミをつけることで、ディオラマではなく、単品作品であっても戦場らしい雰囲気作りが可能である。

作例２　ブルムベア後期型

T-34と同様に作製した泥の塊を機関室上面に載せ、グラベル＆サンド・フィクサーなどの定着剤で固着させる。

定着剤が乾いたら、シンナーで希釈した土色の油彩をその周囲にも塗布し、汚れが自然な感じに見えるように仕上げていく。

汚しを終えたブルムベア後期型の機関室。汚しはリアリティー向上につながるが、過度な汚しは禁物。

作例3：バレンタインMk.IV ソ連軍仕様

機関室上面にピグメントと泥の塊、さらに草を載せていく。

希釈した油彩のウォームグレーを筆に浸し、まず凹みの上から流し込むような感じで垂らす。

さらに爪楊枝の上で筆先をシゴくようにして泥、草の真上からに油彩を垂らして固着させる。

油彩が乾き、泥、草を完全に固着させた状態。自然な感じに見せるためゴミは機関室の左側のみに施した。

作例4：T-34中戦車

前工程でダスティングを行なった箇所に油彩とピグメントを混ぜた泥を塗りつける。

スポンジ筆で余分な泥を軽く拭き取りつつ、汚しを行なう。

ダスティングを行なった箇所にさらに泥をつけ、立体感を出した。設定が1943年夏のクルスク戦なので、過度な泥づけは行なわず、汚しのボリュームは控えめにしている。

《 足跡をつける 》

汚れを表現する際に意外と忘れがちなのが、乗員がつけた足跡。写真は足跡を簡単に再現できるキャリブレ35のフットプリント。

足跡を再現するためのピグメントも用意。写真は、AKインタラクティブのピグメント、ヨーピアンアースとダークアース、そしてGSIクレオスのMr.ウェザリングカラーのグレイッシュブラウン。

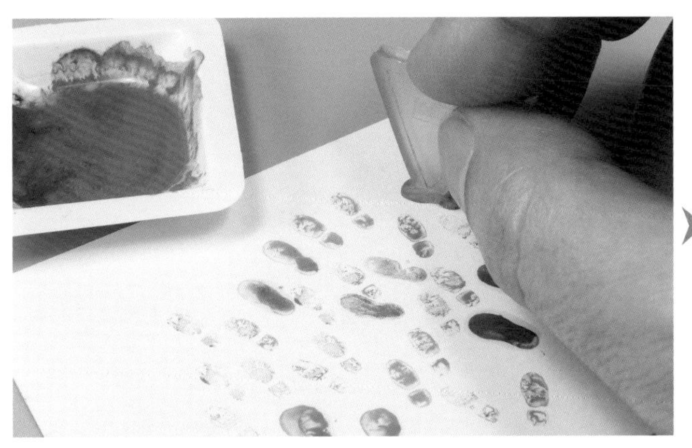

Mr.ウェザリングカラーにピグメントを混ぜた泥をフットプリントにつける。

T-34の機関室にランダム、かつ自然な感じで足跡をつけていく。

こんな便利なアイテムを持ってなくとも同スケールのフィギュアの足(靴)で代用可能だ。

自分が乗員や整備兵になったつもりで足跡をつけていこう。

バレンタインMk.IVの機関室上面に再現した足跡。

こちらは、VK3002(DB)試作戦車の機関室。足跡の泥は、それぞれの車両の汚し(色調、質感など)と合わせること。

3-11 その他の汚れ

特殊な汚れとして、水陸両用車両につく白い洋上航行の跡がある。特二式内火艇カミやPT-76シリーズを始め、水陸両用車両のキットも多く発売されているので、洋上航行による汚れ跡の再現方法もマスターしておきたい。

ライフカラーのアクリル塗料UA706ダスト・タイプ2と水性アクリル塗料を水で簡単に剥がすことができるAKインタラクティブのAK236ウォッシャブル添加剤とを1：9の割合で混合する。

1/35 特二式内火艇カミを作例に汚し方を解説。

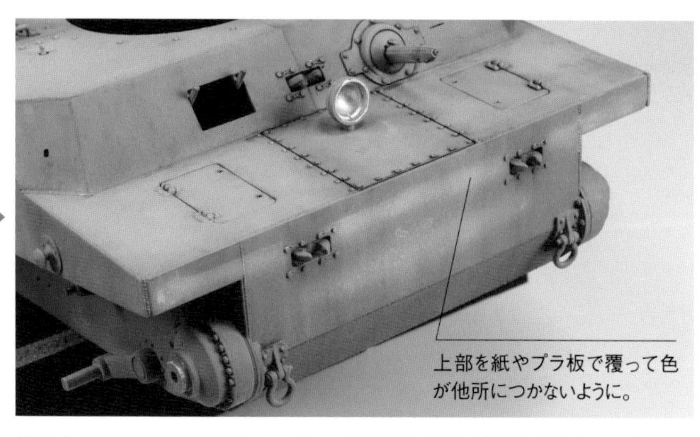

戦時中の記録写真の車両をチェックし、どの位置にどのような航行跡がついているかをチェックし、混合した塗料をエアブラシを使って車体に吹く。

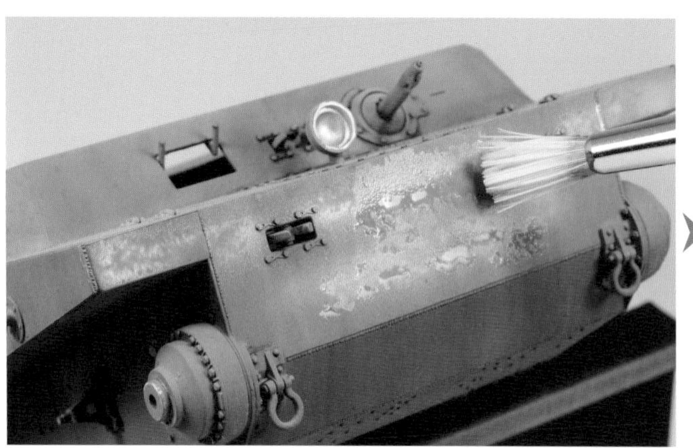

毛先が荒れた使い古しの筆に水を浸し、筆先で塗料を擦り落としていく。

車体側面も同様に汚し作業を行なう。

白色を部分的に擦り落とした後、筆を上から下に動かして、汚れが流れ落ちた感じにする。

車体前部の上面も潮を被るので、汚しを施す。

車体後部にも汚れを表現する。

白い洋上航行跡を表現した特二式内火艇カミ。これを行なうとかなり水陸両用車両っぽさを演出できる。

第４章

ディテールの工作と塗装

これまでは、車両全体の工作および塗装＆ウェザリングを解説してきた。
ここからは、車載工具や搭載機銃、転輪、履帯、排気管といった車体各部のディテールについて解説していく。一つ一つのディテールを丁寧に工作、塗装することにより模型全体の完成度が高まる。
ディテールの製作にもこれまで使ってきた多様なテクニックを用いて作業を行なう。

4-1　車載工具の製作

軍用車両には様々な工具が装備されており、国によって、工具の種類・形状、さらに装備方法に違いが見られる。車載工具は、その車両を特徴付ける重要な要素の一つとも言える。

《 第二次大戦ドイツ戦車の車載工具 》

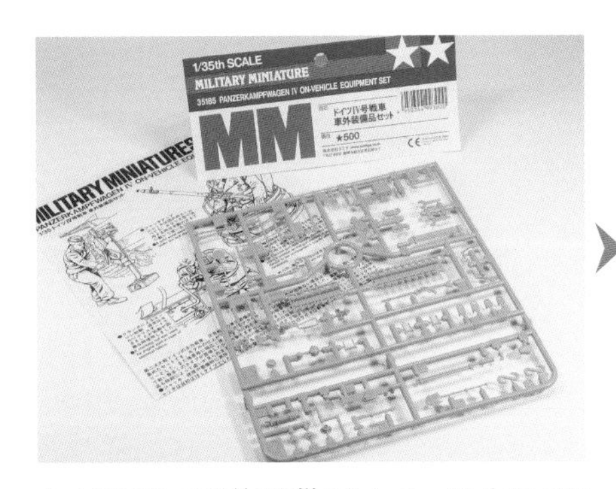

キット付属パーツ以外にも様々なメーカーからドイツAFVに対応した車載工具セットが発売されている。写真はその1例、タミヤの『ドイツIV号戦車車外装備品セット』。

トライスター 1/35 I号戦車A型のキット付属のバール。あまり出来が良くないので、自作する。

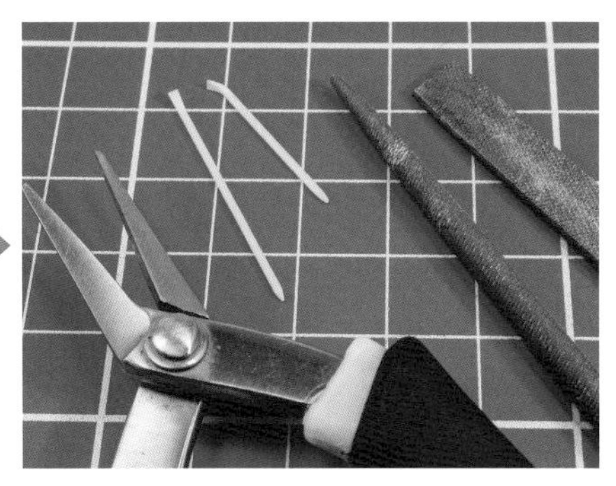

キットのパーツのサイズを測り、タミヤの1mm径プラ丸棒を加工してバールを自作する。

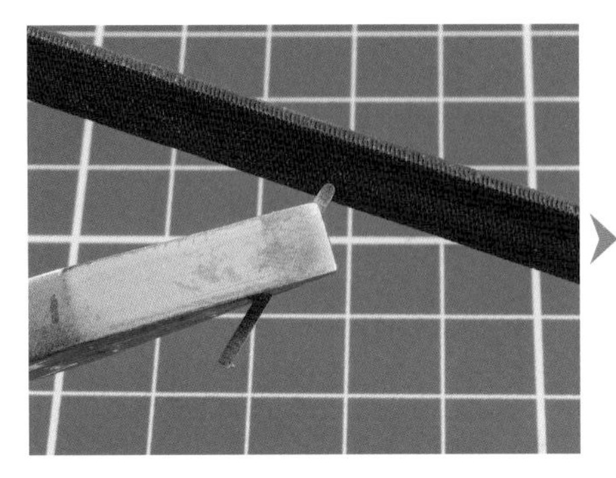

不要なエッチングパーツのランナー（適度な幅のもの）をカット・加工し、バールの頭部を固定する金具を作る。

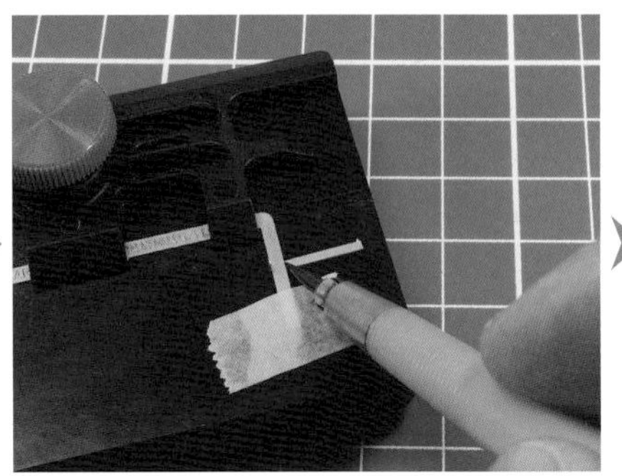

エッチングベンダーなどを使って、自作のエッチング金具を折り曲げる。

同じ金具を2個作製した。

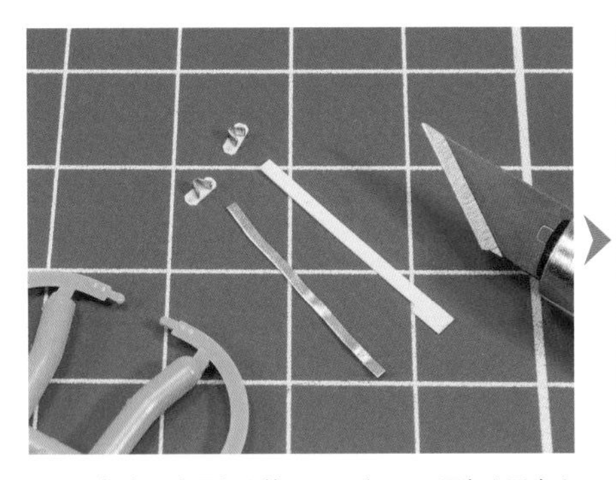

さらにプラ板と金属板を使って、バールの尻部を固定する金具を自作した。

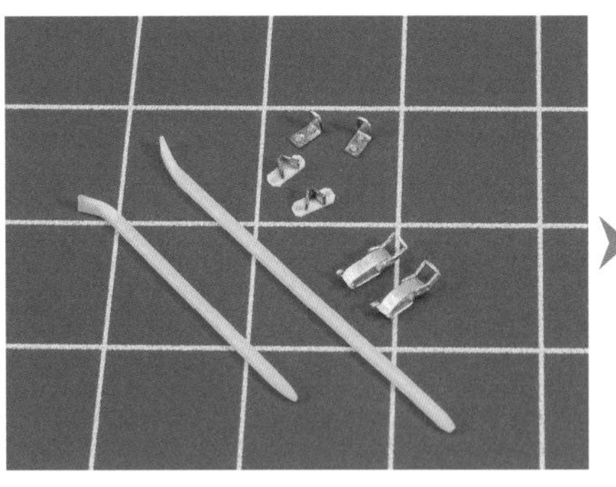

自作したバールと固定具。さらにアベール社製のエッチング製のクランプ（12ページを参照）も用意した。

クランプは、アベールのエッチングパーツ。

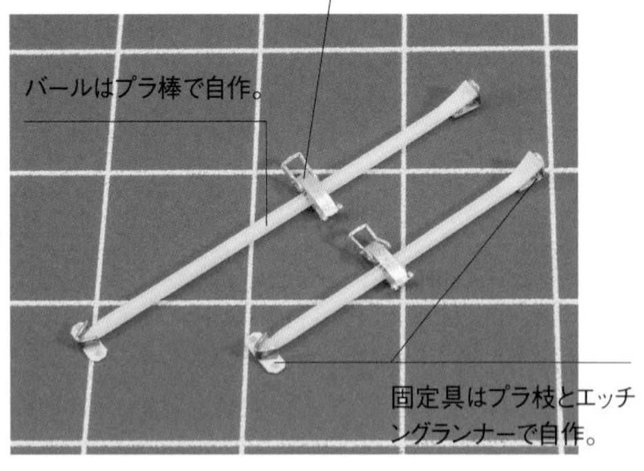

バールと固定具などを組み付けた状態。上のキットパーツと比べ、はるかに精密になった。

同I号戦車A型のジャッキをディテールアップする。

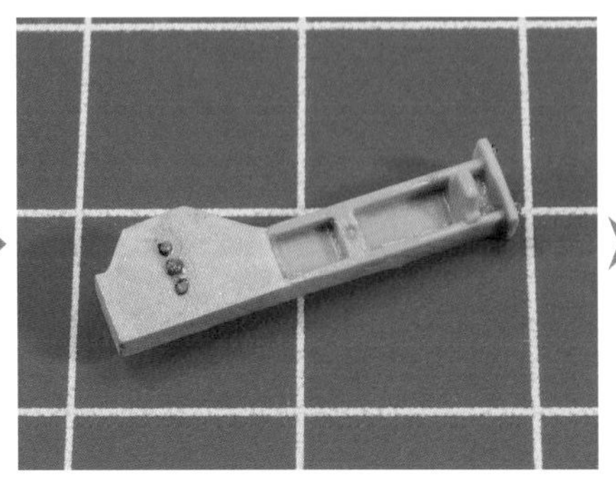

パーツの合わせ目をパテ埋め・整形し、ボルト類を追加する。

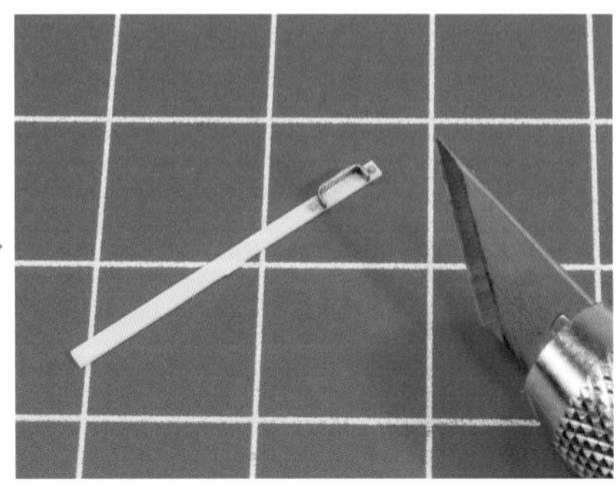

プラ板とエッチングランナーを使って、ジャッキの固定具を自作する。

ジャッキにハンドルなどのパーツを装着。ワイヤーカッターにもエッチング製のクランプを追加。

完成したジャッキ。固定具などを作り替えると、かなり精密感が増す。

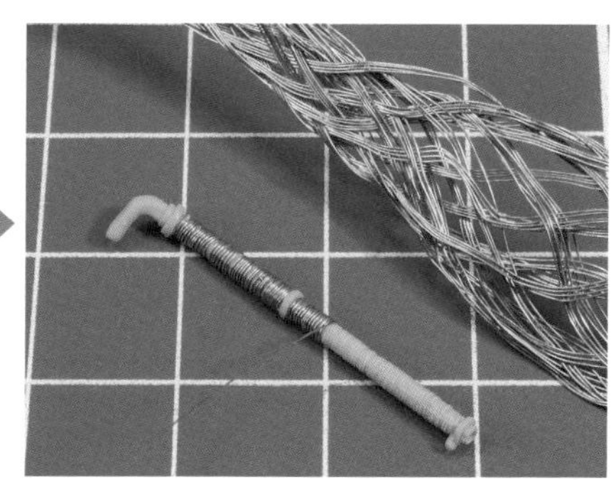

通気ダクトは、パーティングラインを消すと、凹凸モールドが潰れたようになってしまう。そこで、ダクトに極細の金属ワイヤーを巻いてモールドを再生。

他社製のレジンパーツに交換した。

アンテナ支柱はプラ棒で作り替えた。

通気ダクトのモールドを金属ワイヤーで再生。

I号戦車A型の左右フェンダー上に取り付けた各種の車載工具。

プラ棒で自作したバール。

固定クランプもアベール社製エッチングパーツに変更。

《 第二次大戦アメリカ戦車の車載工具 》

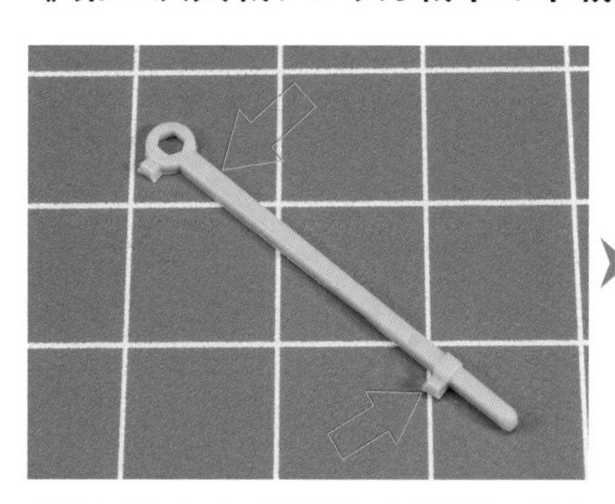

大型レンチのパーツ。固定具は一体成型され、なおかつ左右に突き出しピンの凹みが見られる。

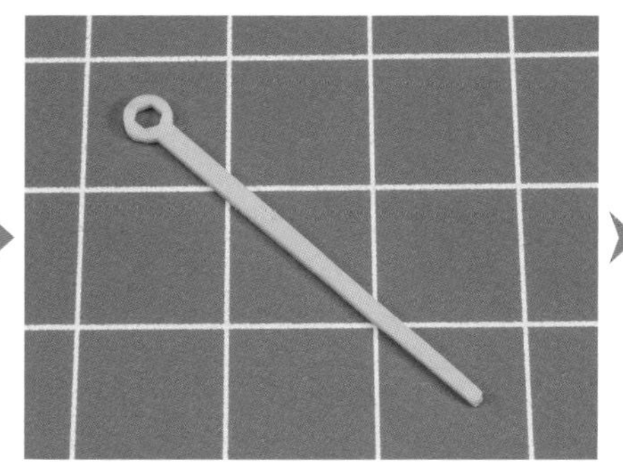

バリと固定具のモールドを削り取り、凹みを消し、全体的にきれいに整形処理した。

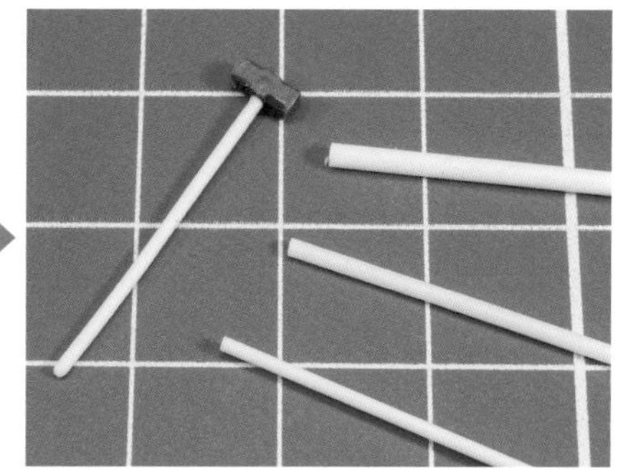

ハンマーの柄はプラ棒で作り替えた。パーティングラインを消して整形するより自作した方がシャープに仕上がる。

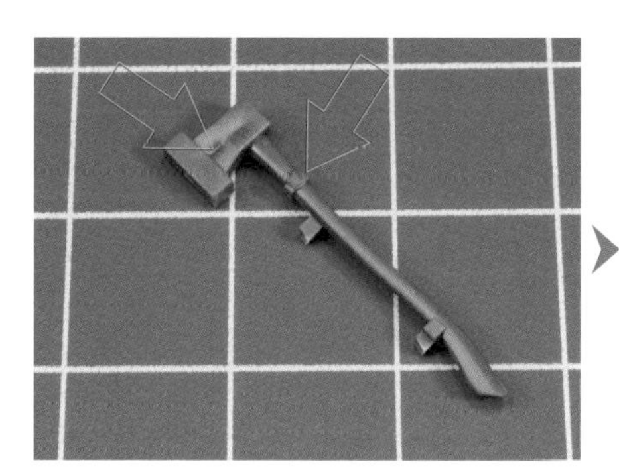

斧も固定具と一体成型。さらに頭部にヒケ（凹み）が見られる。

斧の固定具を削り取り、きれいに形を整形する。

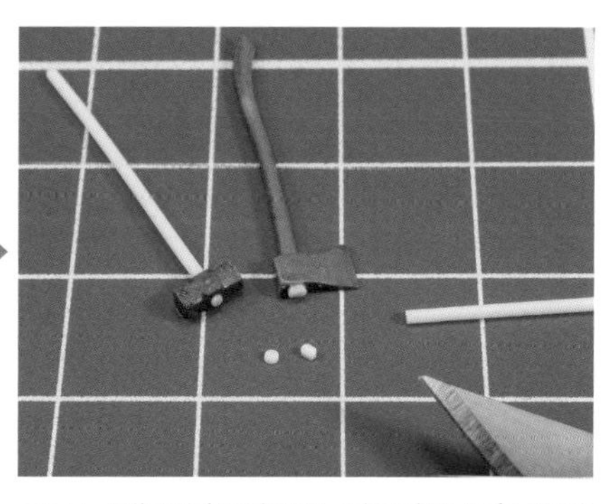

ハンマーと斧の頭部に突き出した柄の部分をプラ棒で自作・追加した。

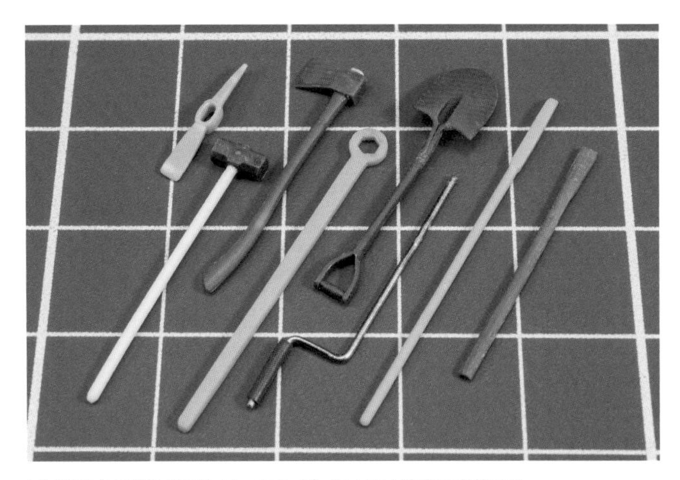

プラ棒や金属線などでディテールアップしたアメリカ戦車の車載工具。

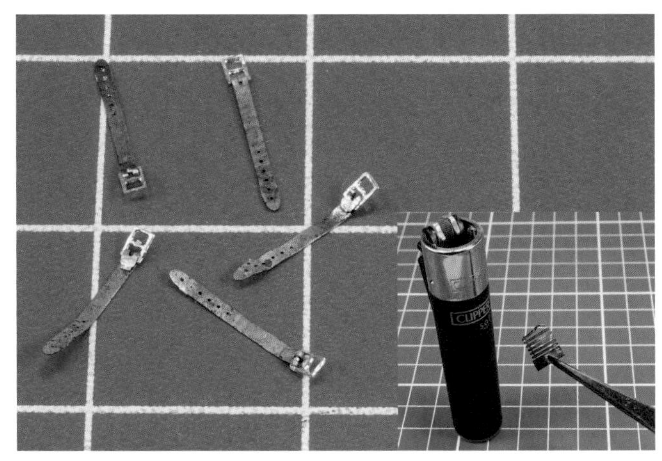

工具の固定ベルトは、アベール社製のエッチングパーツを使って再現。パーツを炙って曲げやすくした。

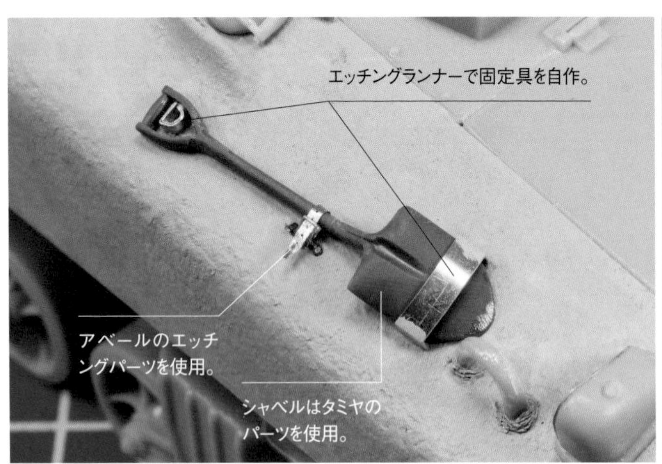

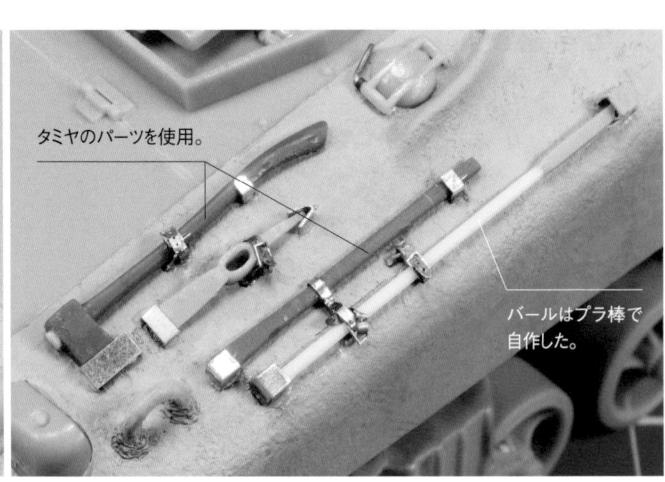

M4シャーマンの車体後部左右に取り付けた各種車載工具。

《 車載工具の塗装 》

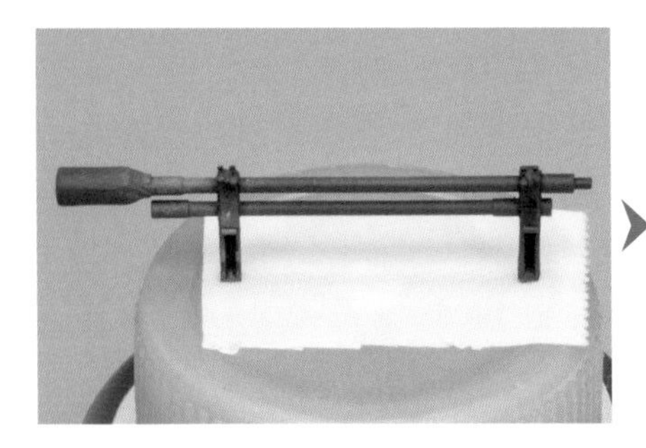

タミヤ1/35 III号戦車N型の砲身クリーニングロッドを塗装。まず、全体に車体色のドゥンケルグラウを塗布する。

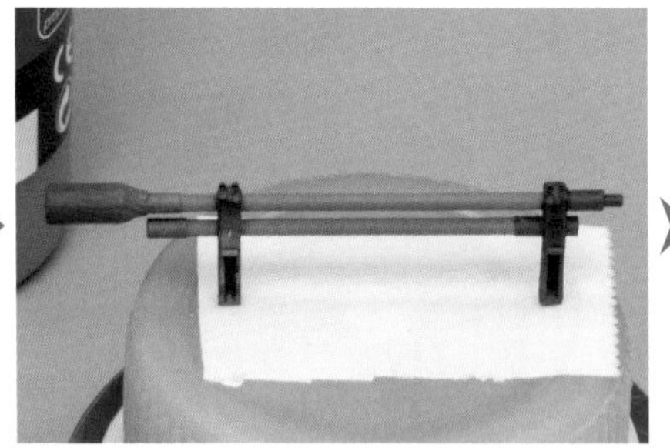

木製部分の塗装には、AKインタラクティブの『Old & Weathered Wood』(品番AK5622N)を使用。最初に同セットのAK782バーニッシュド・ウッドを塗布。

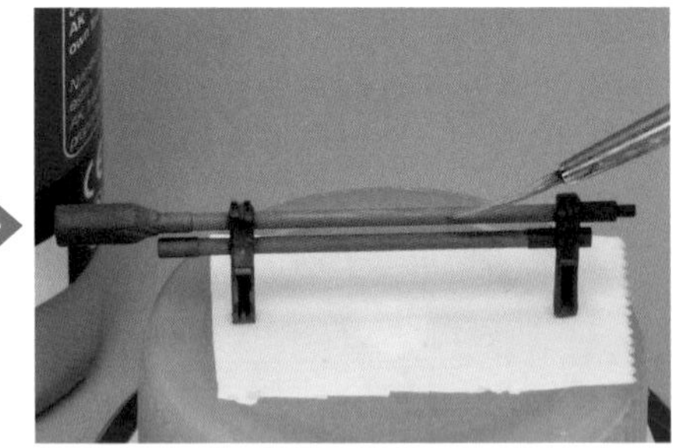

次に明色のAK779ウッドベースを使って、ロッドの上面に筋状の木目を入れていく。

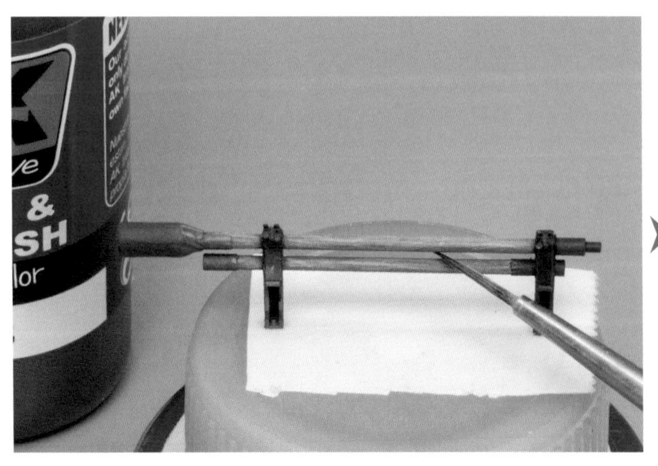

暗色のAK783ウェザード・ウッドで下面にシャドーを入れる。

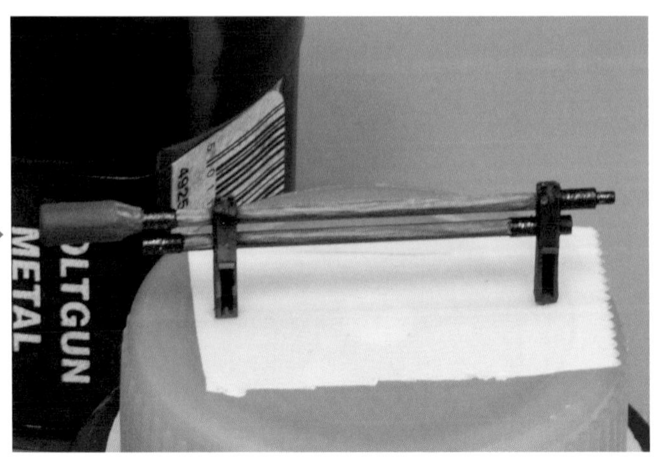

金属パーツ部分は、シタデルのボルトガンメタルで塗装した。

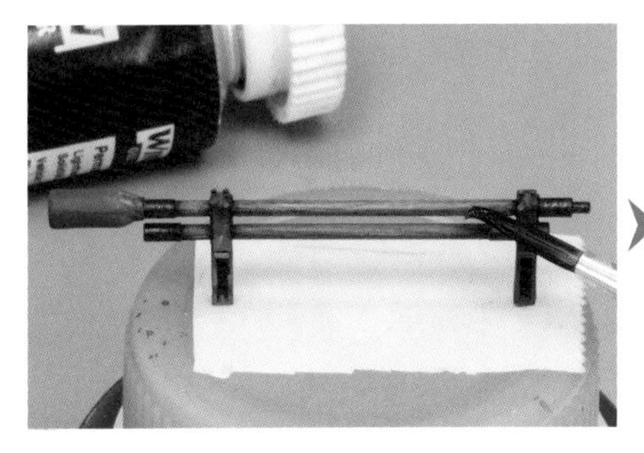

シンナーで希釈した油彩のブラックで全体をウォッシング。小パーツでも各部のディテールが強調される。

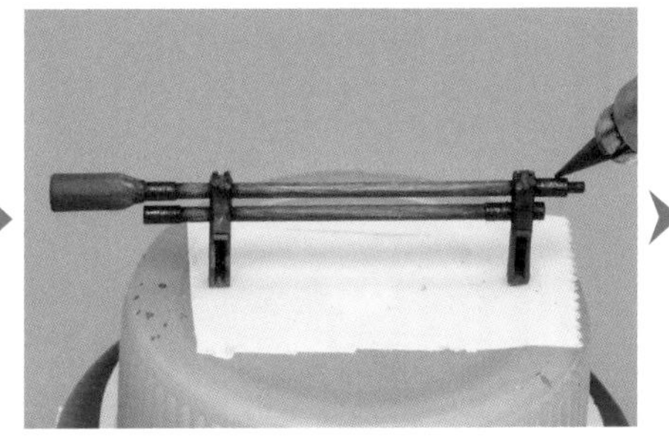

金属パーツ部分に鉛筆で擦り傷や打ち傷を表現する。

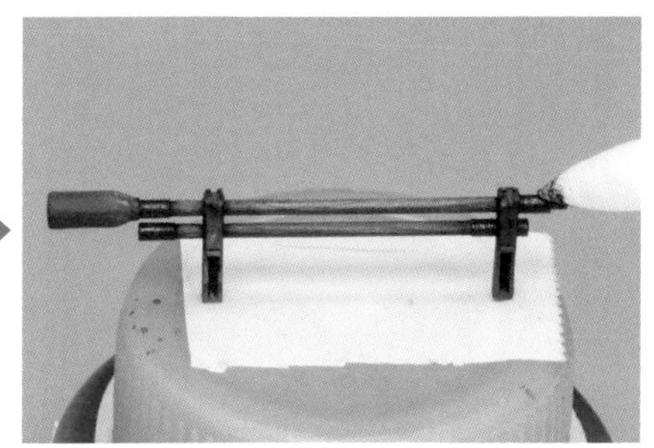

金属パーツ部分を綿棒で擦り（ポリッシュして）、さらに金属の質感を出す。

ブルムベア後期型の工具（ベース色は車体色のRAL7028ドゥンケルゲルプ）にファレホの70.985ハルレッドでチッピングを加える。

スポンジでチッピングを施した後、さらに筆を使って細かくチッピングを加えていく。

VK3002（DB）の車体後部に設置されたジャッキ台。ファレホの70.874タンアースを使って、チッピングを施し、基本色の下の木肌を表現。

さらに明色のファレホの70.819イラキサンドで木目も表現する。

第二次大戦ドイツ戦車の車載工具

タミヤ1/35 III号戦車N型の車載工具。左写真は右フェンダー上の工具、右写真は左フェンダー上の工具など。車載工具は金属部分と木製部分の質感表現が重要となる。

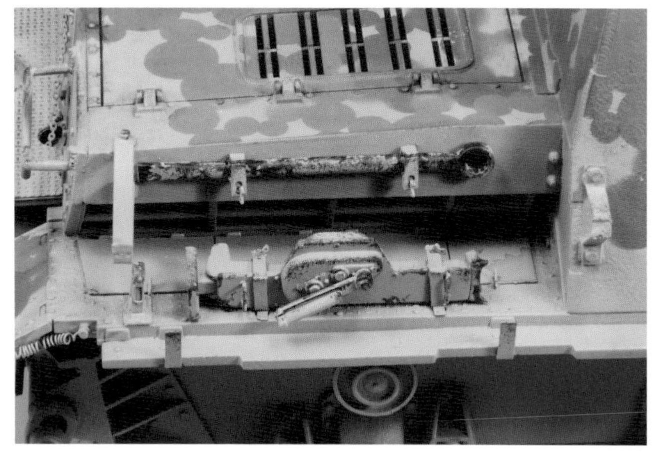

ブルムベア後期型の右側後部の車載工具。ブルムベアに限らず、車載工具は、車体と同じ基本色で塗装されていることが多い。

VK3002(DB)の車体後面右側に設置されたジャッキ台。ジャッキ台は木製なので、チッピングで木製らしさを表現した。

I号戦車A型の左右フェンダー上の車載工具。左写真は車体右側、右写真は車体左側。

4-2 車載機銃

戦車は主砲の他に副武装として機銃を搭載している。車載機銃には、車体前部や主砲同軸に装備されたもの、さらに砲塔上面の機銃架に設置される機銃などがあり、主砲の次に目につくパーツと言える。

機銃も質感表現が重要。作例では、ハンブロールの33マットブラック、リキテックスのカーボンブラック、シタデルのドラケンホフ・ナイトシェイド、さらに粉末の黒鉛などを使った。

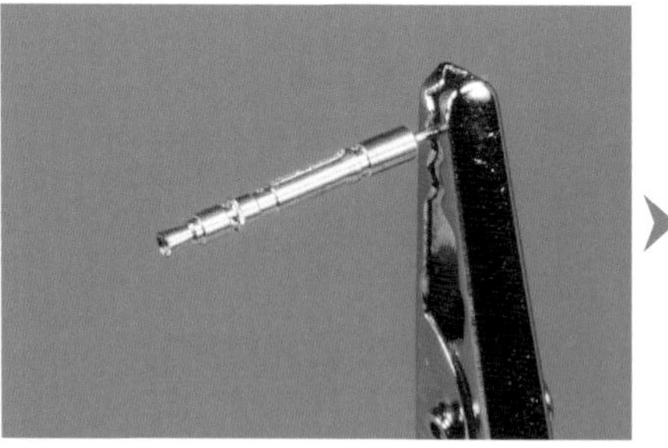

作例にアベールの金属製銃身『ドイツ戦車 MG34機関銃』(品番35L-063)を使用。

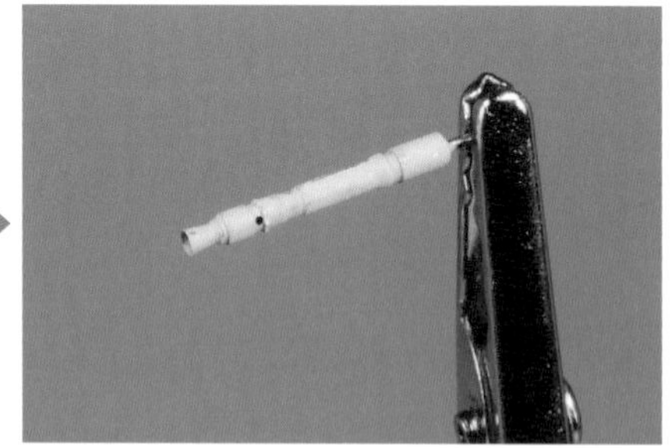

下地として全体にタミヤのサーフェイサーを吹いておく。

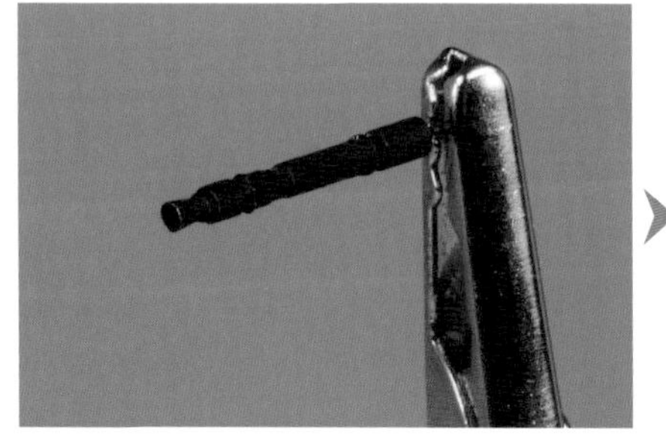

最初にハンブロールのエナメル塗料、33マットブラックを塗布する。

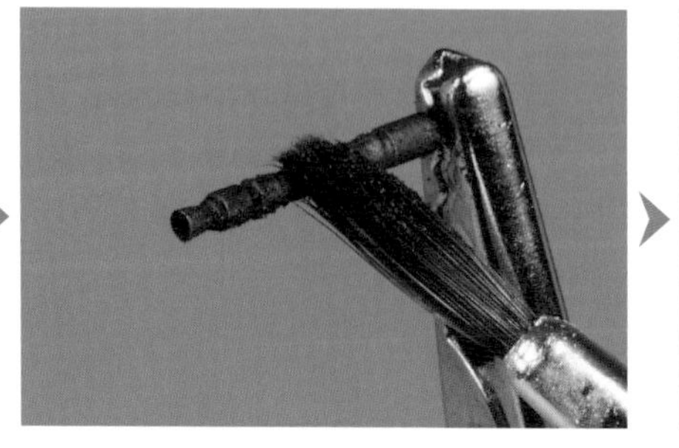

マットブラックが乾いたら、粉末の黒鉛をつけていく。

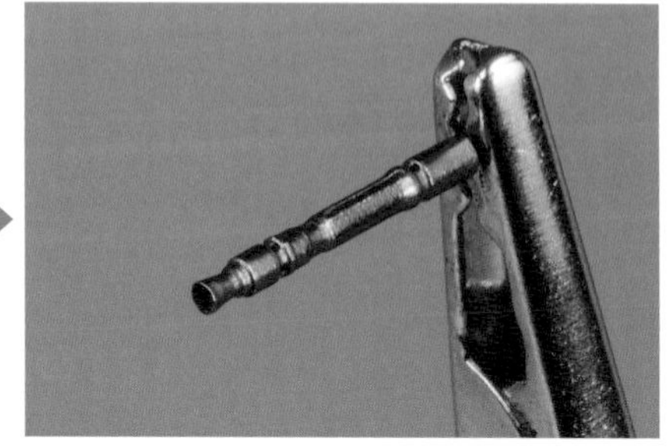

表面を擦ると、スチールブルーのような光沢のある金属の質感が出る。

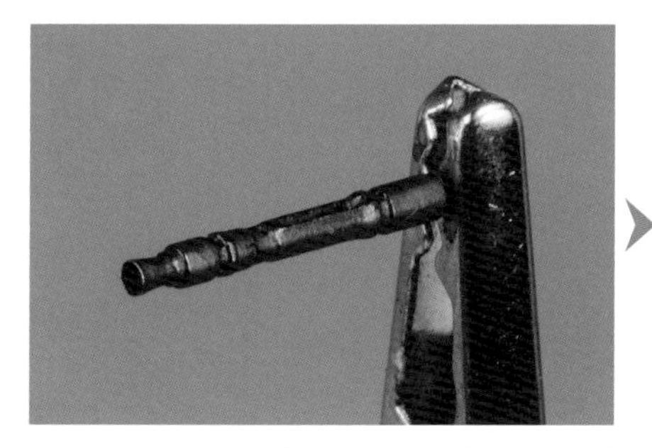

リキテックスのブルーでウォッシングし、さらにカーボンブラックでウォッシングする。

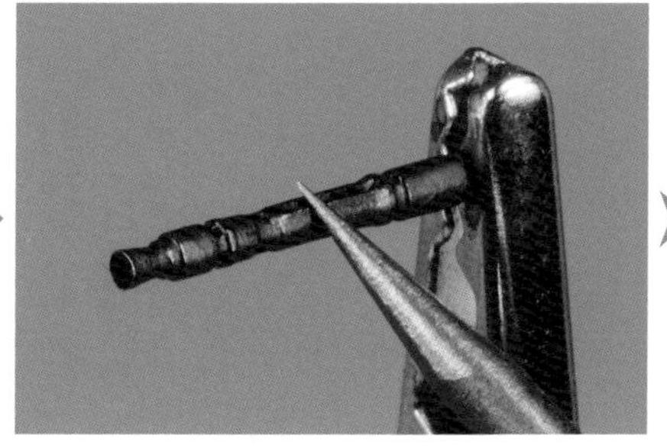

各部のエッジに鉛筆の芯（黒鉛）を擦り付け、金属の質感を加える。

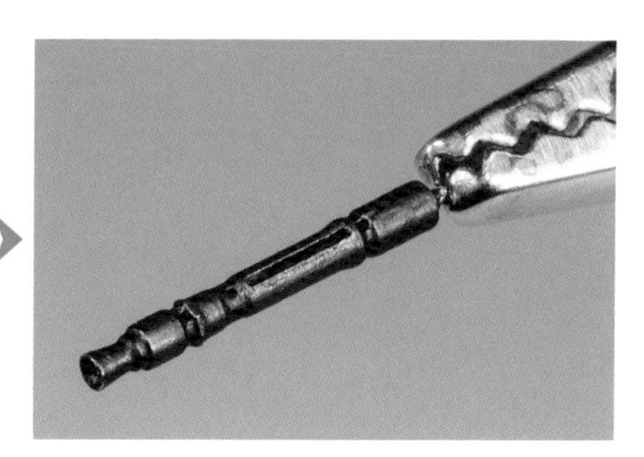

塗装を終えたMG34車載型の銃身。

ブルムベア後期型の戦闘室前面右側の機銃。

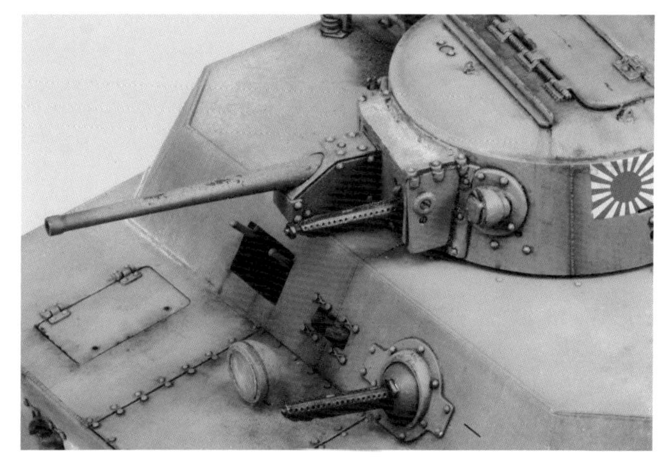

形状は違えど、特二式内火艇カミの車体前部機銃、砲塔同軸機銃も同様な方法で塗装した。

4-3　履帯と転輪

戦車、軍用車両では、足周り＝履帯および転輪、車輪なども重要な箇所。リアルに仕上げるのはなかなか難しく、車体下部と同様に状況設定に応じた汚れ表現に加え、金属の質感表現なども要求される。

《 連結式履帯の組み立て 》

プラスチック製履帯

最近のキットでは、プラスチック製の連結式履帯が付属パーツとなっていることも珍しくない。ここでは、モデルカステンのT-34用履帯を使って解説する。

履帯（履板）パーツを切り出し、バリ取りやペーパー掛けを行なう。

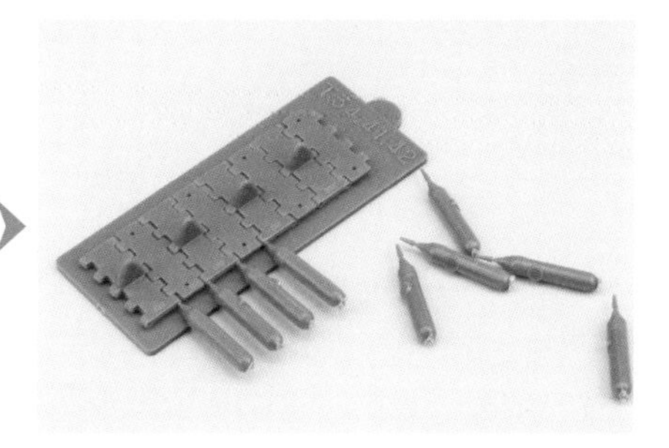

履帯をつなぎ合わせ、連結ピンを差し込んでいく。

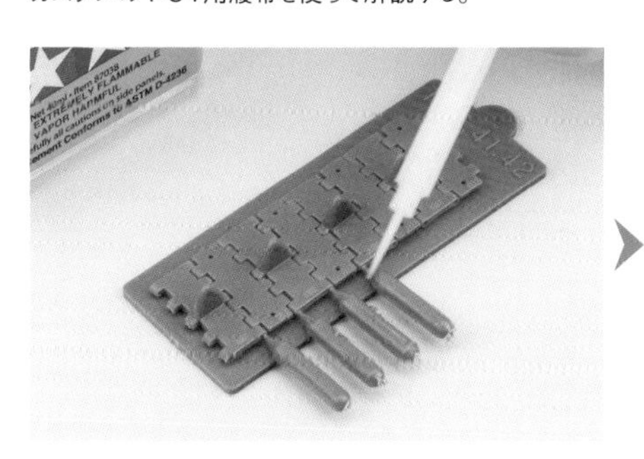

流し込み接着を連結ピンつけていく。可動式にする場合は、履帯連結部に接着剤が流れ込まないように注意。

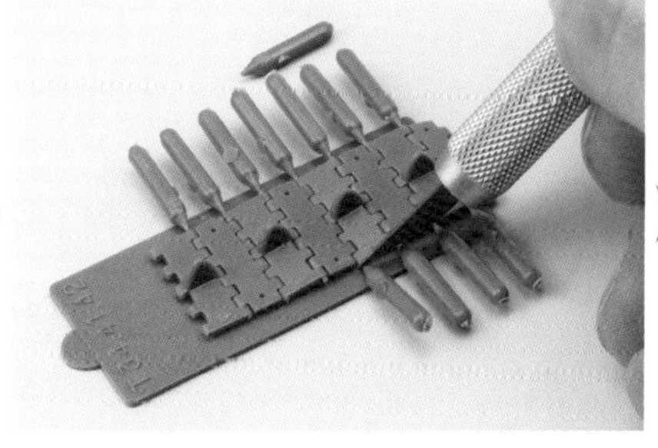

接着剤が乾いたら、ランナーをカットし、取り除く。

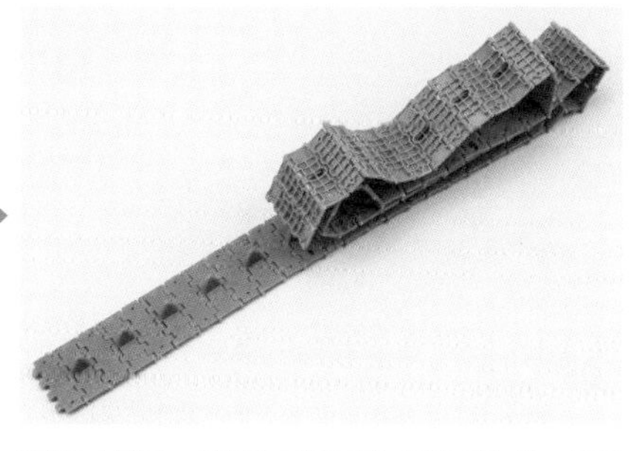

連結した履帯。写真のように可動式にしておくと、足周りへの取り付けが簡単に行なえる。

金属製履帯

I号戦車用履帯を組み立て。バリなどが残っている場合は、カッターなどを使ってきれいに整形処理する。

連結用穴にドリル(作例は0.4mm径)を通し、金属線を通しやすくしておく。

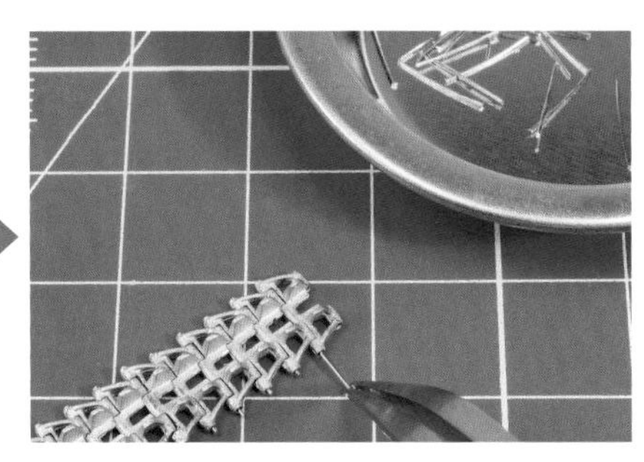

履帯をつなぎ合わせ、連結用の金属線を差し込んでいく。細い金属線は指に刺さりやすいので、ペンチやピンセットを使うと安心。

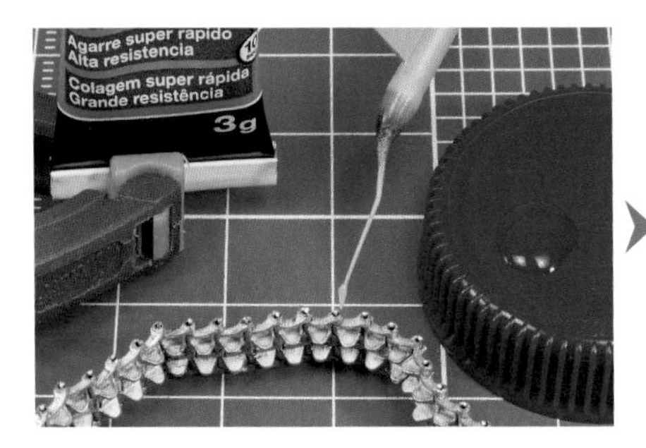

金属線を差し込んだ箇所のみに瞬間接着剤を点づけしていく。

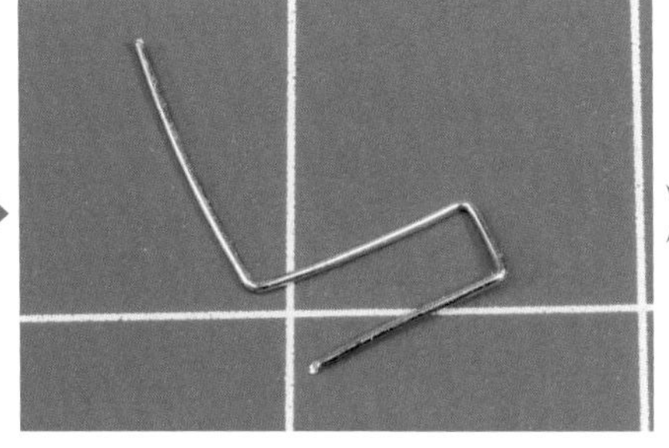

最後に履帯をつなぐ際は、写真のように金属線を加工しておくと、作業がしやすくなる。

金属製履帯をI号戦車A型に取り付けたところ。

左写真の金属線を使って連結している。

《 履帯の塗装 》

プラスチック製履帯

前ページで組み立てたT-34用履帯を塗装。まず、AKインタラクティブの水性アクリル下塗り塗料、AK185トラックプライマーを塗布。

ベース色としてタミヤのアクリル塗料、XF-72茶色(陸上自衛隊)に少量のXF-8フラットブルーを加えた色(80%+20%)をエアブラシで塗布した。

履帯表面の凸部をシタデルのリードベルチャーでドライブラシし、地面と擦れた(ポリッシュされた)感じを出す。

グラファイトペンを使って、履帯の裏面に転輪で擦れた跡をつける。

シンナーで希釈したライフカラーのUA714ウォームベースカラーを平筆に浸し、筆先を爪楊枝で弾いて履帯表面に塗料を細かく飛散させる。

ファレホやAKインタラクティブのピグメント、GSIクレオスのMr.ウェザリングパステルを混ぜて作った土、泥を履帯裏面につけていく。

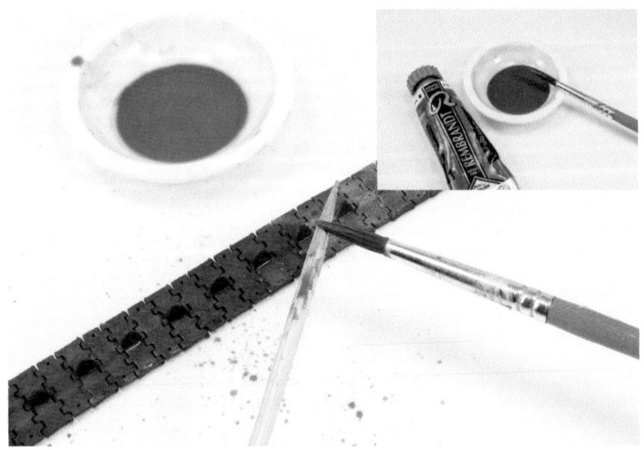

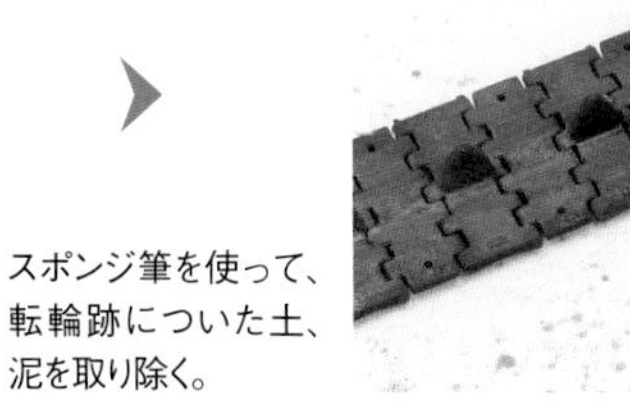

希釈した油彩のウォームグレーを浸した筆先を爪楊枝の上でシゴいて塗料をピグメントの上に垂らし、固着させていく。

スポンジ筆を使って、転輪跡についた土、泥を取り除く。

でき上がった履帯をT-34に装着。土や泥の色、質感は車体下部と同じにする。また、地面との設置部分や裏面の転輪跡などの擦れにより金属の質感を出している。

金属製履帯（北アフリカ戦線の塗装）

北アフリカ戦線のI号戦車A型の履帯を塗装。全体にファレホのサーフェイスプライマー、IDFイスラエリ・サンドグレーを塗布する。

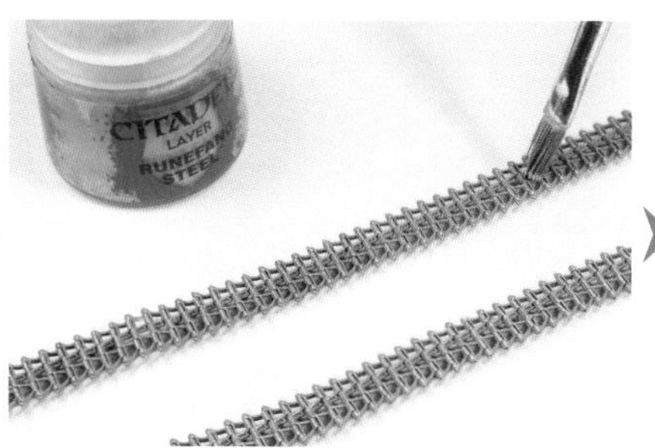

履帯表面をシタデルのルーンファング・スティールでドライブラシする。

シンナーで希釈した油彩のランプブラックとバーントアンバーとの混色で履帯をウォッシングする。

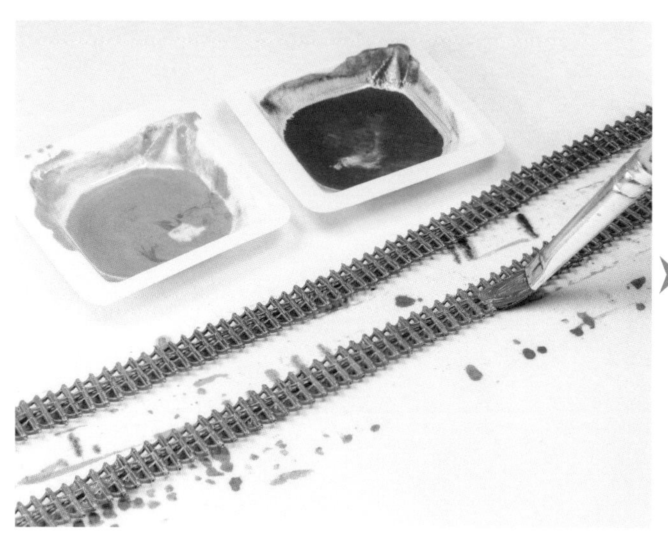

ピグメントのライトマッド＋ライトシェンナの明るい砂と、インダストリアルアース＋ナチュラルアンバーの暗い砂それぞれに希釈した油彩を加えた塗料で、汚しを加える。

グラファイトペンを使って、履帯裏側に転輪により擦れた跡をつける。

ピグメントのヨーロピアンアースとベトナムアース、さらにプラスター、マットアクリルジェルを混ぜ、泥を作製する。

使い古した平筆を使って、履帯に泥を塗りつけていく。履帯全体ではなく、部分的に泥づけすることがポイント。

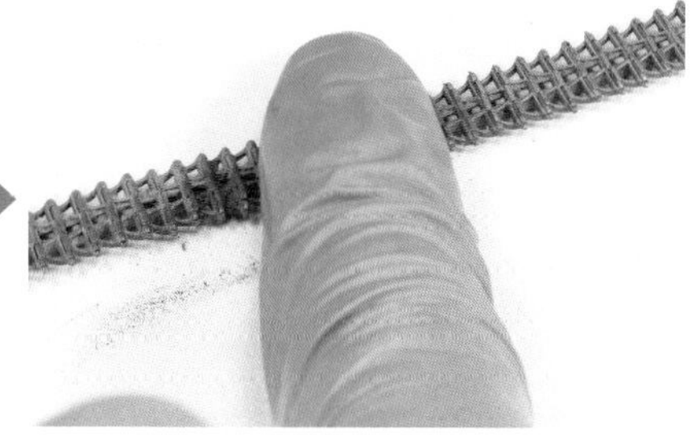

泥が乾いたら、指で擦り、余分な泥を取り除きながら、凹部や溝に泥を押し込み、固めていく。

I号戦車A型の足周り。履帯の土、泥のつき方、色調は車体下部や転輪と違和感ないように仕上げる。

金属製履帯（ヨーロッパ／東部戦線冬季の塗装）

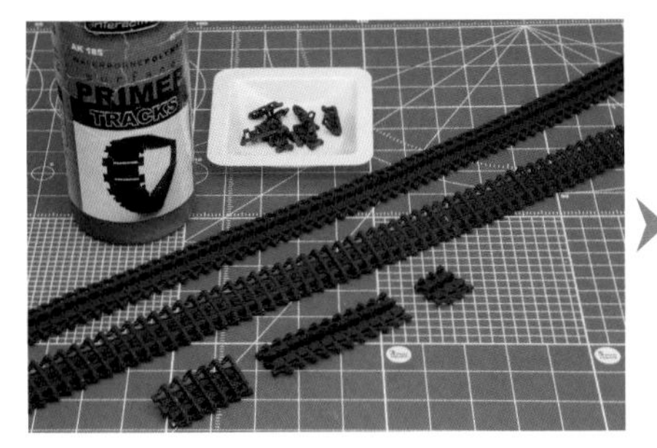

III号戦車N型の履帯を作例にヨーロッパ／東部戦線冬季の暗めの土、泥汚れを施す。まず、AKインタラクティブのAK185トラック（履帯）プライマーを全体に塗布。

AKインタラクティブのAK083トラックウォッシュでウォッシングを行ない、ディテールにメリハリをつける。

次にAKインタラクティブのピグメント定着液、ピグメントフィクサーを塗布する。

ピグメントは、AKインタラクティブやMIG、ファレホの暗い土色のものを混ぜて使用。それらにプラスターを混ぜ、作製した泥を履帯に塗りつけた。

シンナーで希釈したAKインタラクティブのダンプアース、フレッシュマッド、ウィンターストレーキンググライムをピグメントの上に垂らし、固着させるとともに土色に変化をつける。

金属製という利点を生かし、履帯表側をペーパー（硬くて平らなものを使用すること）掛けして接地部分の金属地を露出させる。

再度、ピグメントをしっかりと定着させるためにピグメントフィクサーを塗布した。

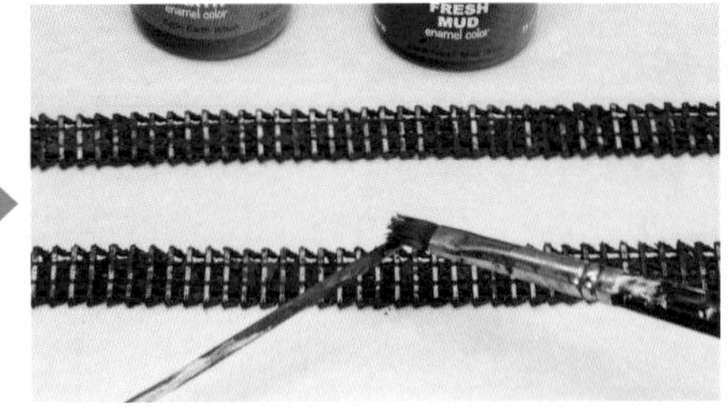

ペーパー掛けした箇所のコントラストを抑えるために、シンナーで希釈したAKインタラクティブのダンプアース、フレッシュマッドを垂らし、土、泥の汚れを加える。

最後にファレホの70.510グロスバーニッシュを吹き、冬季の泥汚れらしく湿った感じに仕上げた。

完成したIII号戦車N型。冬季迷彩車両なので、泥汚れは強めに。履帯と車体下部、足周りの泥汚れを統一することは言うまでもない。

《 転輪の汚れ表現 》

作例1：T-34中戦車の転輪

ファレホのピグメント(グリーンアース、ライトシェンナ、ナチュラルアンバー)にエナメル塗料とプラスターを混ぜ合わせ、大小様々な土、泥の塊を作製(84ページを参照)。それを転輪につけていった。

ハンブロールのエナメル塗料、29マットダークアースをシンナーで希釈。平筆と爪楊枝を使って、ピグメントの上にその塗料を垂らして固着させる。

筆を使って、泥のつき方を調整する。

一旦乾かした後、泥のつき方、固まり具合が同じにならないように、希釈したマットダークアースでリタッチしていく。

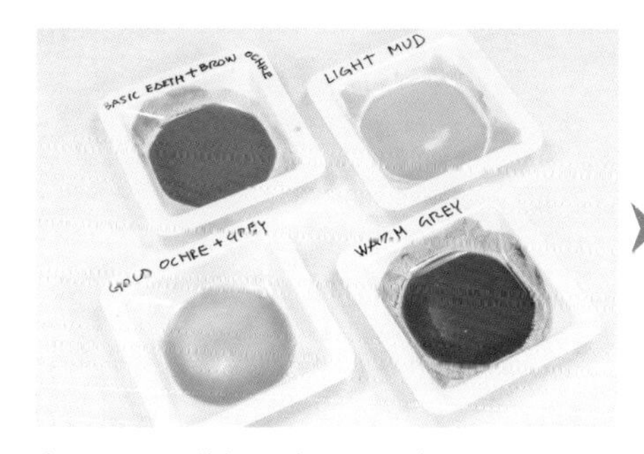

次にシンナーで希釈した油彩を4色（ベーシックアース+ブラウンオーカー、ライトマッド、ゴールドオーカー+グレー、ウォームグレー)用意。

希釈した油彩をゴムタイヤ部分やボルトの周囲などに塗っていく。場所によって使用する色を変えること。

乾いた状態。これで泥汚れは終了。

油彩のビチューム、エンジングリース、ランプブラックを混色し、シンナーで希釈したものをハブキャップ周囲に塗り、染み出したグリースやオイルの汚れを表現。

1943年夏クルスク戦時のT-34。足周りは、乾いた土、泥で汚れた感じ(泥のつき方も控えめ)に仕上げている。

作例2：KV-1重戦車の転輪

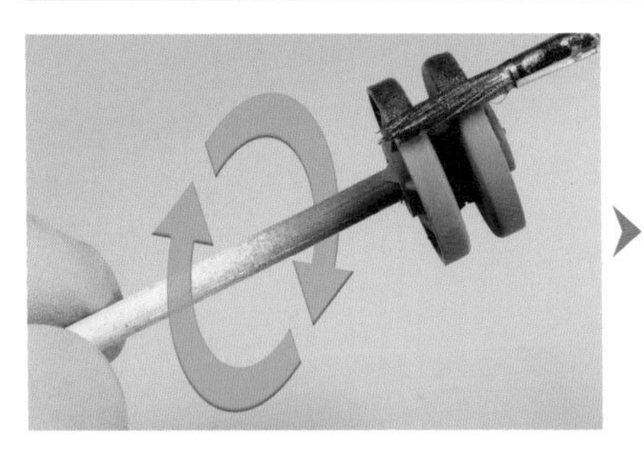

上部転輪のリム外面をシタデルのルーンファング・スティール+アバドンブラックの混色で塗装する。

上部転輪は全鋼製なので、履帯と接する部分は、擦れて金属の地肌が露出した感じに。

履帯と噛み合う箇所にスチール色を塗る。

履帯と接する、起動輪のスプロケット（歯）にも同じスチール色を塗り、磨耗した感じにする。

完成したKV-1。冬季迷彩なので、足周りは暗めの泥汚れを施している。

作例3：ブルムベア後期型の転輪

上部転輪は全鋼製なので、リム外周をグラファイトペン（鉛筆の芯）で擦り、金属地肌が露出した感じを表現する。

車体後部の誘導輪取り付け基部にシンナーで希釈した油彩のビチューム＋ランプブラックを塗り、グリースが染み出した状態を表現。

ブルムベア後期型の車体下部および足周り。土、泥は色調、ボリュームに変化をつける。

上部転輪のリム外周は摩耗して金属の地肌が露出。

ハブキャップにはグリース汚れとそれに付着した泥を表現。

泥の色調とボリュームに変化づけ。

作例4：ヘッツァー の転輪

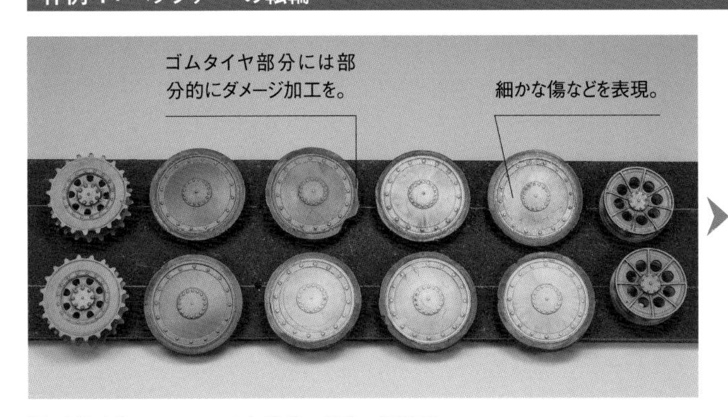

汚しを施す前のヘッツァーの起動輪、転輪、誘導輪。

シンナーで希釈したAKインタラクティブのダンプアースを平筆に浸し、転輪表面に塗っていく。

ピグメント、エナメル塗料、プラスターを混ぜて作製した泥（99ページ参照）を付着させる。

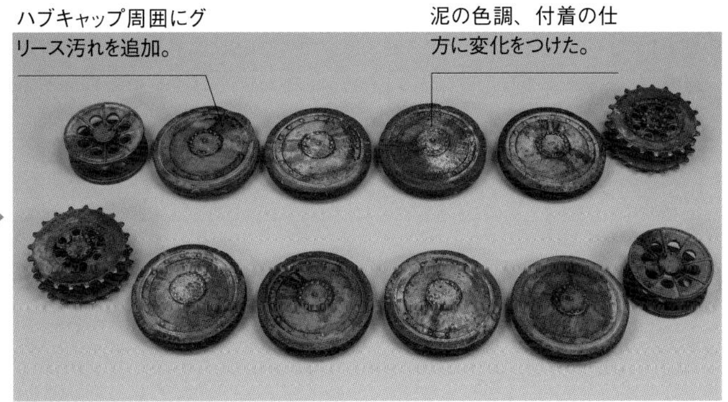

泥汚れを終えたヘッツァーの転輪。

作例5：BA-10装輪装甲車の車輪

塗装による汚しは、既に終えている。

リム周辺に泥の塊（ピグメント、エナメル塗料、プラスターを混ぜて作製）をつけていく。

シンナーで希釈した油彩の土色を平筆に浸し、それをピグメントの上に垂らして固着させていく。

錆色のエナメル塗料やピグメントを使って、ボルト周囲についた錆の汚れを表現する。

スポンジ筆でタイヤの外周を擦り、余分な泥を落とす。

希釈した油彩の土色を塗り、タイヤとホイールリムの間に土、泥汚れを加える。

グリース汚れなどをさらに追加し、汚しを完了した車輪。

車輪を装着したBA-10。装輪装甲車は、タイヤ径が多いので、車輪の汚しはかなり目立つ。各車輪の汚れ方を変え、同じにならないようにすることが大事。

4-4 各種ライトの表現

戦車や軍用車両には、ヘッドライト、スモールライト、リアライト、さらに各種の表示ライトが装備されている。模型では、そうしたライトは車体と同じ成型色のパーツであったり、クリアパーツで再現されていたりと様々。ここでは、ライトの塗装方法を中心に解説する。

《 レンズがクリアパーツのライト 》

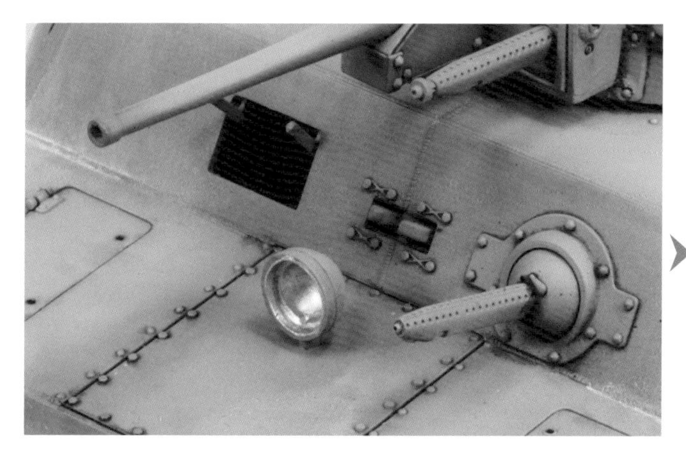

ライトのレンズがクリアパーツで再現されているキット（作例はドラゴン1/35 特二式内火艇カミ）では、レンズパーツを接着する前にライト本体の内側をシルバーで塗装しておく。

クリアパーツのレンズを接着した後、レンズ表面にも砂や土の汚れをつけておくことを忘れずに。

BA-10装輪装甲車もライトの内側をシルバーで塗装した後にクリアパーツのレンズを接着した。

BA-10のようなベッドライト配置の車両は、特にレンズ表面は汚れがちだ。

《 ライトを塗装で再現する 》

タミヤのT-34のヘッドライトはレンズも車体と同じ色のパーツで成型されているので、塗装でレンズを表現。まず、下地色をファレホの70.989スカイグレーで塗装。

ファレホの70.898ダークシーブルーとシタデルのカオスブラックを混ぜた色を希釈し、レンズに何本もの縦筋状のシェイドを入れる。

水で希釈したタミヤのアクリル塗料X1-9スモークをレンズ表面に塗布し、透明感を出す。

さらにレンズ表面に土、泥汚れを追加して仕上げた。

ドイツ戦車の車体後面に装備されている車間表示ライトも塗装で仕上げる。初期タイプのライトは、クリアグリーンで塗装。

防水の筒状になったドイツ戦車後期生産車のテールライト。まず、ミディアムブルーで塗装し、その上にスモークを塗布した。

KV-1のテールライトは、よくある上下2分割式。ファレホの70.909バーミリオンとタミヤのX-19スモークを使用。

まず、ベース色としてバーミリオンを塗る。極細の筆を使用し、慎重に塗装しよう。

バーミリオンが乾いた後、水で希釈したスモークを塗布する。

塗料が乾いた後、土、泥汚れを加える。ライト自体が小さいので、汚しは控えめにした。

《 レンズを欠損したライト 》

I号戦車A型を作例として、ヘッドライトのレンズと内部の電球を欠損した状態にする。

まず、ライト内側の反射板を自作する。ライトの径と同じポンチを使って、薄い金属板（金属箔）をくり抜く。

適度なクッション性がある消しゴムなどの上にくり抜いた金属板を置き、筆の柄の尾部を押し当てて形づける。

ピンバイスのドリルを使って、中央に電球ソケット取り付け用の穴を開ける。

車体の塗装を終えた後、自作した反射板をライト本体に接着。さらに反射板に砂、土による汚しを付加した。

4-5　排気管／マフラーの塗装

戦車のディテール塗装において、リアルな塗装表現が難しい箇所の一つが排気管である。排気管の塗装では、錆びた感じや煤汚れをうまく表現しなければならない。

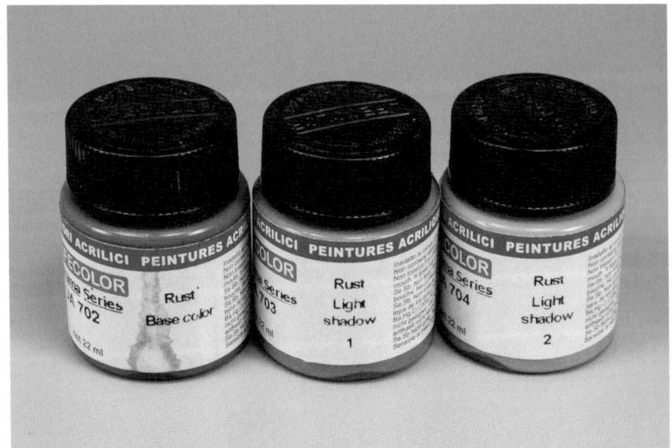

排気管の塗装、錆汚れには、錆色の塗料と同じく錆を表現できる色のピグメントやパステルを多用する。写真は作例に使用した製品。

作例1：ブルムベア後期型

ベース色としてマフラー全体にライフカラーのUA702ラストベースカラーを塗装する。

マフラーの上部に希釈したライフカラーのUA703ラスト・ライトシャドー1を小片状にランダムに塗っていく。

さらにマフラー上部にライフカラーのUA704ラスト・ライトシャドー2をランダムに(UA703より小さく)塗布する。

油彩のランプブラックとGSIクレオスのウェザリングパステルPW04チャコールブラックを混ぜ、タミヤのX-20溶剤で希釈したもので、マフラーをウォッシング。

ウォッシングにより、排気管と取り付け板の境にスミ入れするとともに筋状の汚れを表現した。

MIGピグメントのライトラストとファレホのライトシェンナを混ぜて作製した錆をマフラーにつけていく。

ピグメントを固着させるために希釈した油彩のトランスペアレント・オキサイドブラウンをピグメントの上に垂らしていく。

細筆でピグメントのつき具合を調整し、錆汚れを仕上げる。

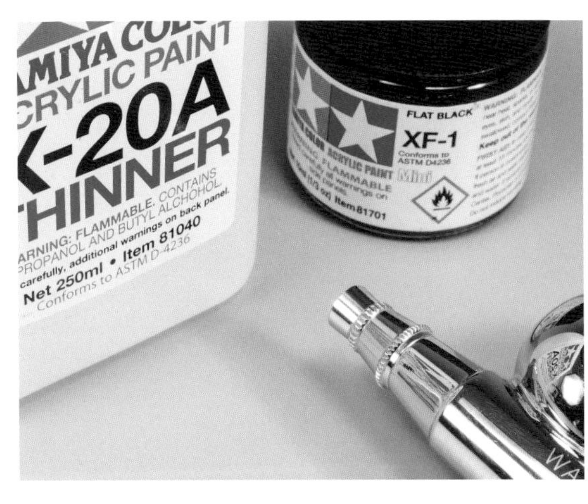

溶剤で希釈したタミヤのアクリル塗料XF-1フラットブラックを排気管付近に細く吹き、排気煙による煤汚れを追加した。

作例2：ヘッツァー火炎放射戦車

マフラー本体は車体基本色ドゥンケルゲルプ。油彩やエナメル塗料を調色したダークブラウン色で上面にチッピングを施した。

車体に色がつかないようにマスキングした後、使い古しの太筆でブラッシングよる要領で、さらに細かくチッピングを入れていく。

シンナーで希釈した油彩のトランスペアレント・オキサイドブラウンでマフラーをウォッシング（ピグメント付着も兼ねている）。

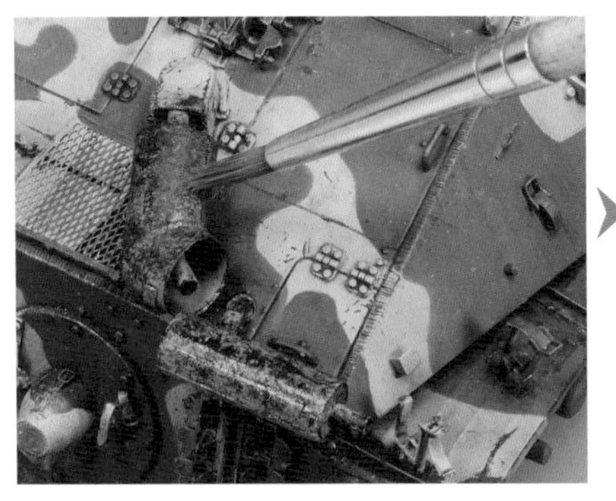

ピグメントのライトラストとライトシェンナを混ぜて作製した錆を筆に取り、マフラーにつけていく。

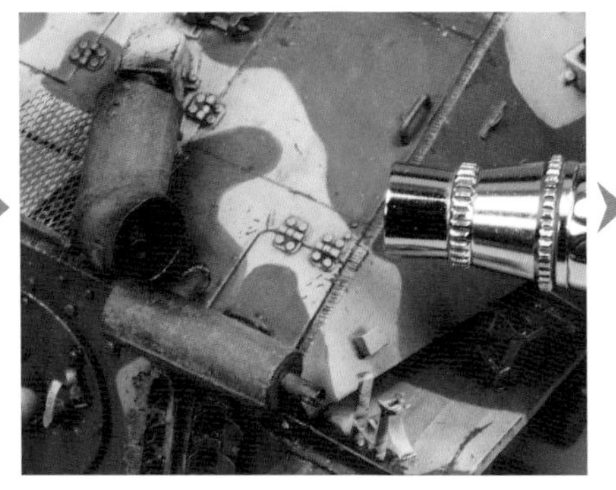

エアブラシを使って、シンナーで希釈した油彩のブラックをマフラー内部および排気管に細吹きする。

ピグメントのブラックを筆をつけ、排気管周辺にそれを擦り付けて煤汚れを付加した。

汚しを終えたヘッツァー火炎放射戦車の排気管／マフラー。錆びた感じと煤汚れに注目。

作例3：KV-1重戦車

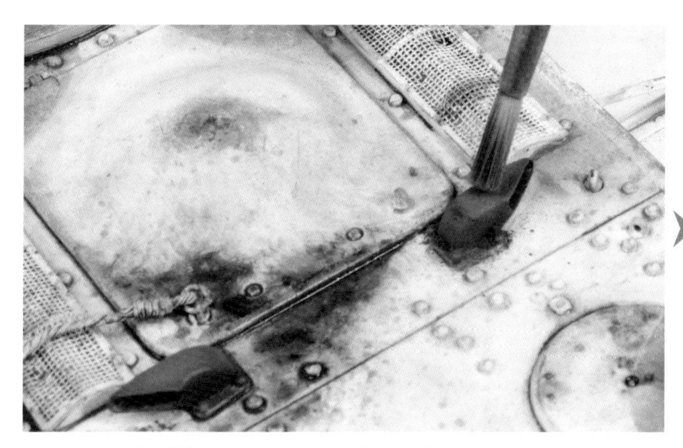

機関室上面左右の排気管（既にベース色は塗装済み）にピグメントのライトラストとライトシェンナを混ぜて作製した錆をつけていく。

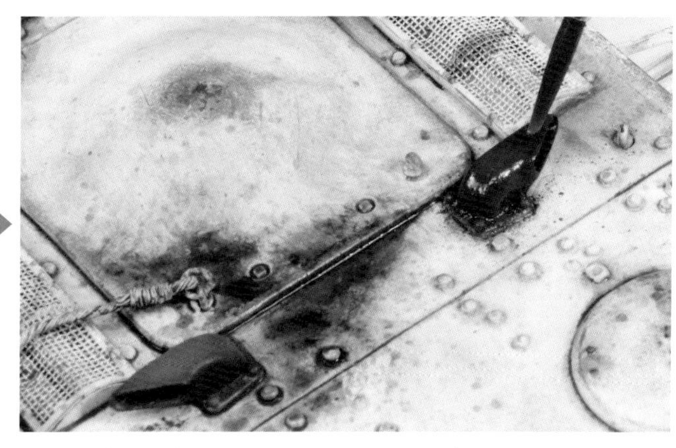

シンナーで希釈した油彩のトランスペアレント・オキサイドブラウンを塗りつけ、ピグメントを固着させる。

最初よりも若干明るめに調色したピグメントをつけていく。

若干明るめに調色した油彩でピグメント固着させる。

ピグメントと油彩の明度を上げながら、作業を何度か繰り返し、暗色から明色の錆をつけていく。

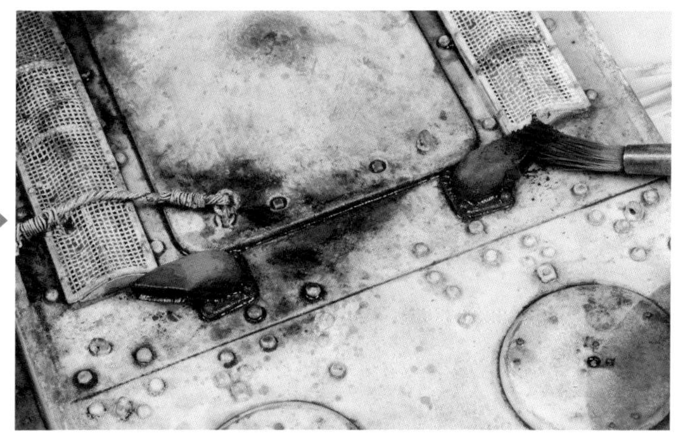

排気口の周囲と内部にピグメントのブラックを付着させる。

排気管前方をマスクキングした後、エアブラシを使って、シンナーで希釈した油彩のブラックを排気管周囲と斜め後方に細吹きし、煤汚れを表現。

汚しを終えたKV-1の排気管およびその周辺。煤汚れは排気管の向きに合わせ、斜め後方につける。

4-6 積荷などの塗装

戦場で活動する戦車や軍用車両は、車体の至るところに予備履帯／転輪や木箱、キャンバスシート、個人装備品など多くの荷物を載せている。そうした状態を再現するのもAFV模型製作の楽しみの一つと言える。

《 木の質感を表現 》

木箱の塗装

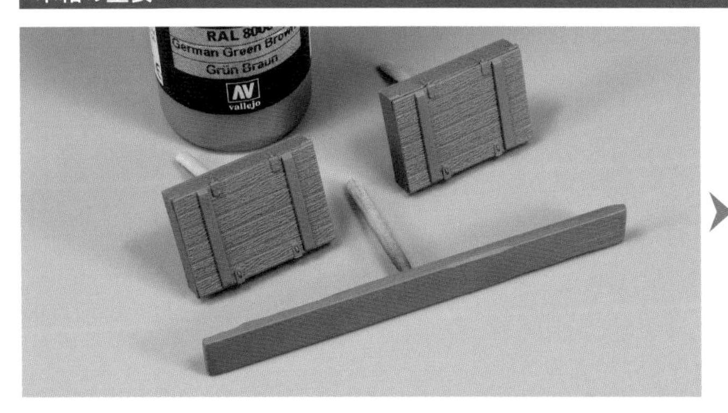

最初に下地色としてファレホのアクリル系サーフェイスプライマー、73.606ジャーマングリーンブラウンを全体に塗布する。

この後にチッピング（塗料剥がし）を行うため、AKインタラクティブの塗料剥がれ表現液、AK088ウォーンエフェクツを全体に塗布した。

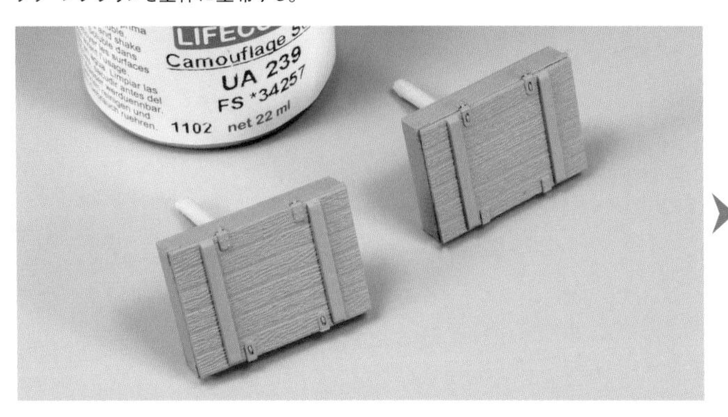

ウォーンエフェクツが乾いた後、ソ連軍基本色のプロテクティブグリーン4BOを塗る。作例は、ライフカラーのUA239を使った。

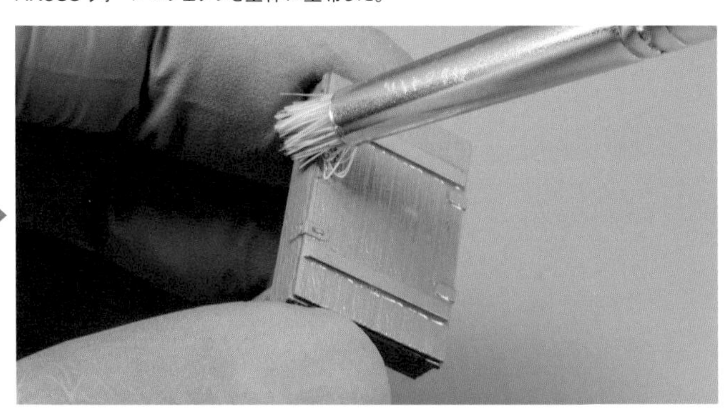

基本色4BOが乾いた後、水を浸した太筆で表面を擦って、部分的に同色を剥がし、下地色のジャーマングリーンブラウンを露出させる。

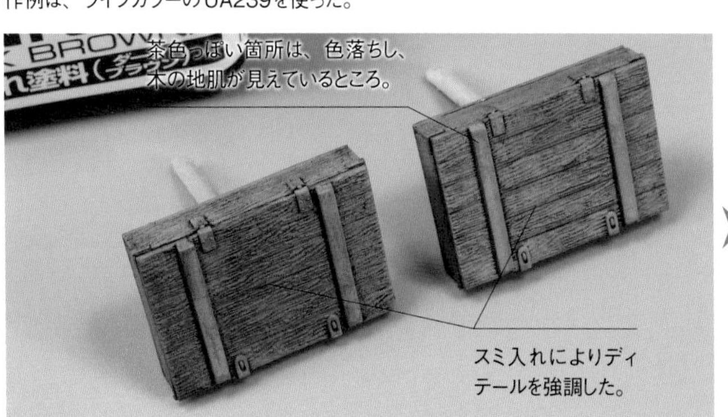

タミヤのスミ入れ塗料（ダークブラウン）でウォッシングし、各部の凹凸、パネルライン、木目などディテールを際立たせる。

ダークオリーブ、ミディアムブラウン、ライトグレーブラウンなどの塗料で部分的にドライブラシを行ない、木の質感を細かく表現（明色＝新しい擦り傷、暗色＝塗料が剥がれ落ち、時間が経過している箇所など）。

金具部分は、鉛筆の芯（黒鉛）を擦り付け、金属の質感を出す。

グリーンアース、ライトシェンナ、ナチュラルアンバーなどのピグメントにエナメル塗料とプラスターを混ぜ合わせて作製した土や泥の塊をつけていく。

油彩を調色した土色をシンナーで希釈し、それをピグメントに垂らして、固着させる。

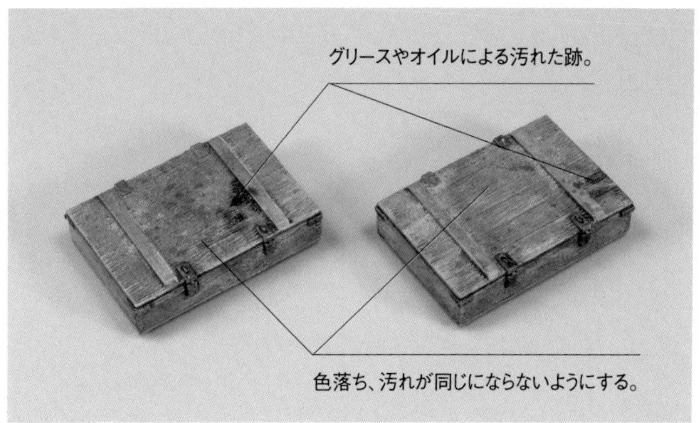

希釈した油彩のビチューム、ランプブラックの混色を使って、グリースやオイルがこぼれたり、染み込んでできた黒っぽい汚れを追加した。

木材の塗装

冬季の東部戦線で活動したドイツ、ソ連戦車の多くは、軟弱地脱出用の木材を積んでいる。木材（プラ板で自作）のベース色には、ライフカラーのUA716ウォームライトシェイド2を使用。

AKインタラクティブの『Old & Weathered Wood Vol.2』（品番AK563）のAK785ミドルグレーとAK789バーントアンバーを使って、木目や擦り傷、引っ掻き傷などを描き込む。

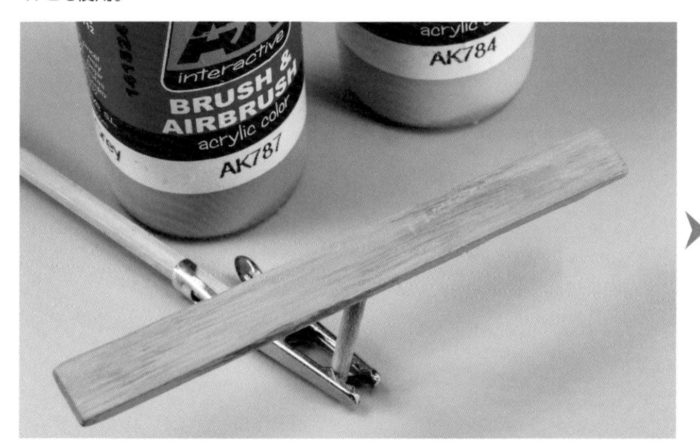

さらに同セットのAK787ミディアムグレーとAK784ライトグレーを使って、より細かく木目や傷を再現していく。

AK784ライトグレーにファレホの70.985ハルレッドを少量加え、暗くした色を使って、木材の質感を高めた。

タミヤのスミ入れ塗料（ダークブラウン）で表面をウォッシングし、表面の細かな筋にスミ入れし、より木材らしく仕上げた。

完成した木材。細かく色調を変えたり、木目や傷を表現することで、本当の木のような質感を出すことができる。

《 予備履帯 》

予備履帯の塗装

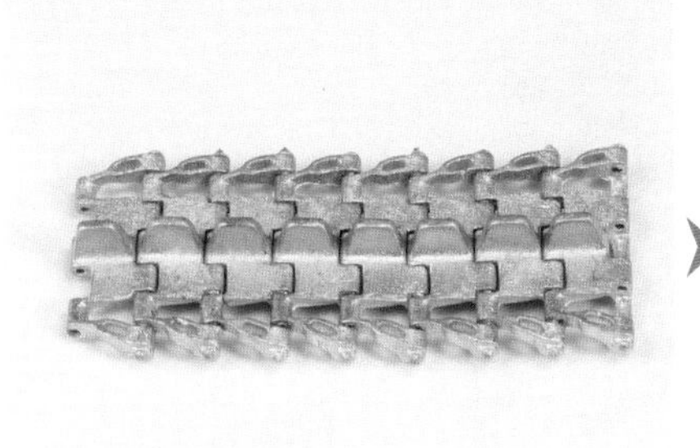

1/35 AFVキットを作るのに際し、おそらくもっとも使用例が多い履帯の一つ、III/IV号用履帯（フリウルモデル製）を作例にして解説する。

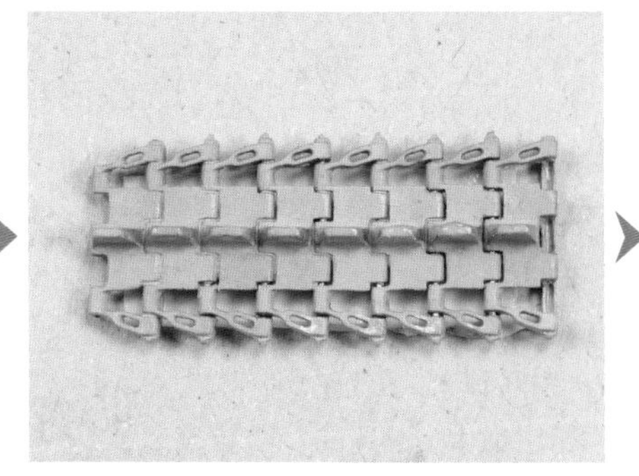

金属製履帯なので、最初に塗料の食い付きをよくするためにファレホのグレープライマーを全体に塗布する。

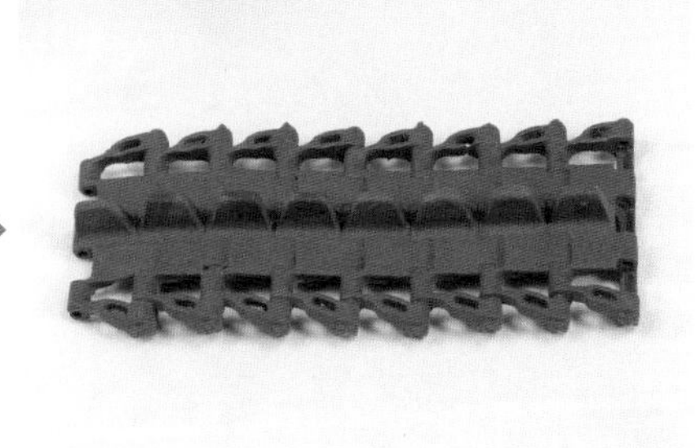

ベース色としてライフカラーの錆色セット『Dust & Rust』のUA702ラストベースカラーを全体に塗布した。

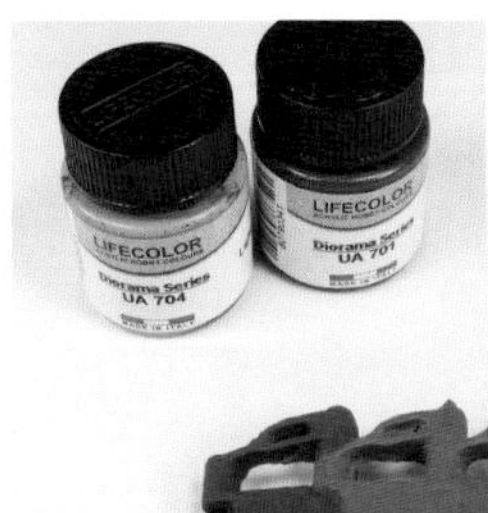

ライフカラーのUA701ラストダークシャドー、UA704ラストライトシャドー 2を使って、履板の色に変化をつける。

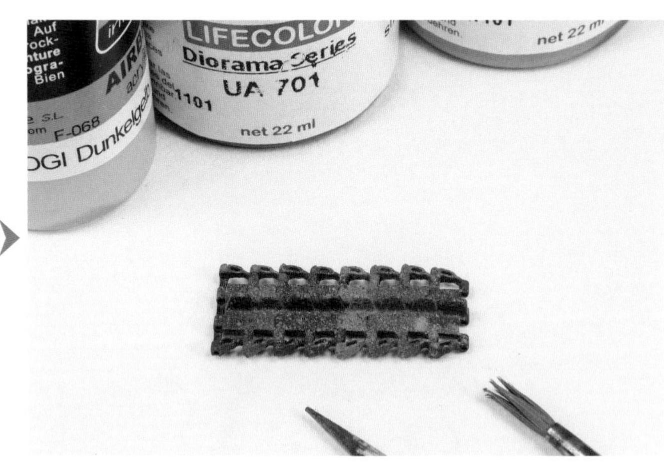

ラストダークシャドーとラストライトシャドー 2、さらにAKインタラクティブのドゥンケルゲルプをシンナーで希釈し、それらを浸した筆先を弾き、履帯に塗料を飛散させた。

シンナーで希釈した油彩のトランスペアレント・オキサイドブラウンで履帯をウォッシング する。

ウォッシングが乾く前に錆色のピグメントやウェザリングパステルをつけて仕上げた。

予備履帯装着跡の表現

ビニール製ベルト式履帯の一部をカットし、スタンプとして利用する。

ライフカラーのUA702ラストベースカラーとファレホのピグメント、バーントアンバーを混ぜたものをビニール製履帯につける。

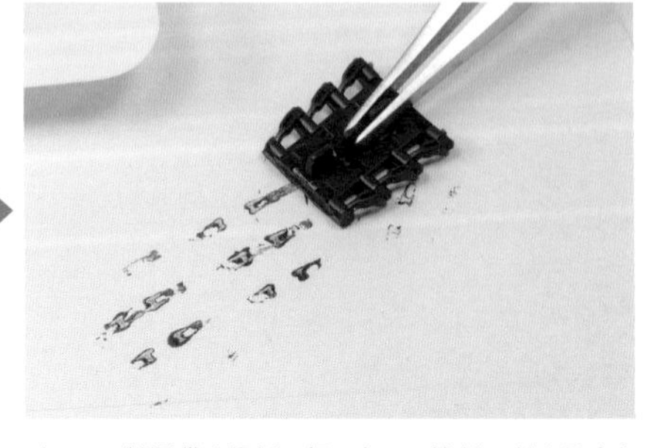

ビニール製履帯を厚紙に押し当て、塗料の付き具合をチェックする。

車体前部上面の予備履帯ラックにビニール製履帯を押し当て、履帯跡（錆の跡）をつけていく。

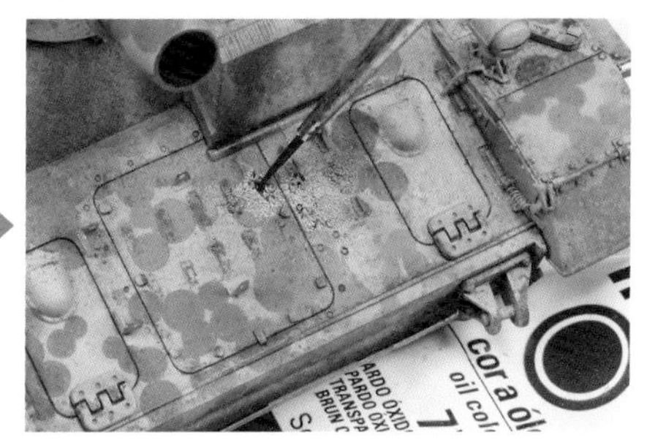

予備履帯の跡をつけた箇所をシンナーで希釈した油彩のトランスペアレント・オキサイドブラウンでウォッシングする。

MIGピグメントのライトラストを少量つけていく。

油彩を調色し錆色を作り、シンナーで希釈。それをピグメントに塗り、固着。さらに上から下に筆を運び、錆が流れた跡も表現した。

塗装とウェザリングを終えたブルムベア後期型の車体前部。

《 積荷の固定方法 》

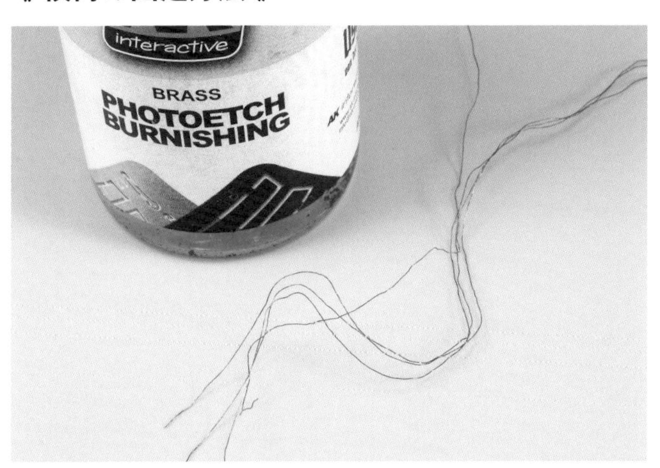

車体の積荷は金属ワイヤーなどで固定されている。模型でもそれを再現するために極細の金属線を使用。

いずれもT-34の積荷例。車体右側前部の手すりに束ねたワイヤーを装着。

108ページで塗装した木箱を載せた状態。木箱は金属線を使って固定している。

左のフェンダー上に軟弱地脱出用の木材を積んでみた。木材はT-34ではよく見られる積荷の一つ。これも金属線で固定している。

著名モデラー、ホアキン・ガルシア・ガスケス指南

AFVモデリングのための教科書

編集　望月隆一
塩飽昌嗣

撮影協力　Joaquin Luis Garcia Garcia

デザイン　今西スグル
矢内大樹
〔株式会社リパブリック〕

2020年3月30日　初版発行
発行人　松下大介
発行所　株式会社ホビージャパン
〒151-0053　東京都渋谷区代々木2丁目15番8号
Tel.03-6734-6340（編集）
Tel.03-5304-9112（営業）
URL; http：//hobbyjapan.co.jp/
印刷所　株式会社廣済堂

乱丁・落丁（本のページの順序の間違いや抜け落ち）は
購入された店舗名を明記して当社パブリッシングサービス課までお送りください。
送料は当社負担でお取り替えいたします。
ただし、古書店で購入したものについてはお取り替えできません。

Printed in Japan
ISBN978-4-7986-2172-2 C0076

Publisher/Hobby Japan.
Yoyogi 2-15-8, Shibuya-ku, Tokyo 151-0053 Japan
Phone +81-3-6734-6340　+81-3-5304-9112